AGNIESZKA SERAFINOWICZ

TABLET
DLA SENIORÓW

samo•sedno

Redaktor prowadzący: Maria Gładysz
Redakcja: Marta Durczyńska, eKorekta24.pl
Korekta: Joanna Fiuk, eKorekta24.pl
Projekt graficzny: Przemysław Ryk, Berenika Wilczyńska
Skład i łamanie: Rafał Tomasik
Zdjęcia, schematy i zrzuty ekranowe: Agnieszka Serafinowicz
Opracowanie okładki: Krzysztof Zięba, TonikStudio.pl
Adaptacja okładki: Graphics & Design Studio, Marcin Ziółkowski

Zrzuty ekranowe pochodzą z systemu Android firmy Google.

Zapraszamy do naszej księgarni internetowej:
www.SamoSedno.com.pl

Informacje o nowościach i promocjach:
www.facebook.com/SamoSedno

Samo Sedno
Edgard
ul. Belgijska 11
02-511 Warszawa
tel./faks: (22) 847 51 23
e-mail: samosedno@samosedno.com.pl

ISBN 978-83-7788-564-2
wydanie I
Warszawa 2015

JAK KORZYSTAĆ Z KSIĄŻKI?

Unikalny projekt graficzny serii książek komputerowych Samo Sedno został opracowany z myślą o czytelniku, który ceni przejrzysty układ treści, estetykę przekazu oraz praktyczny sposób podawania wiedzy. Zaproponowane w nim rozwiązania sprawiają, że nawet bardziej skomplikowane zagadnienia stają się zrozumiałe i nie nastręczają trudności. W poradniku zastosowano intuicyjne elementy nawigacji, takie jak zróżnicowanie tematyczno-kolorystyczne, uporządkowanie treści za pomocą wypunktowań i ramek, zilustrowanie teorii praktycznymi zrzutami ekranowymi.

Materiał zgromadzony w książce został podzielony na tematyczne rozdziały. Dzięki przejrzystemu układowi kolorystycznemu łatwiej się po nich poruszać – każdej części odpowiada wiodący kolor (uwzględniony również w nagłówkach spisu treści). Na początku każdego rozdziału znajduje się dodatkowo spis zagadnień z odniesieniem do numerów stron, na których omówiono dany problem.

Każdy podrozdział opisuje poszczególne czynności – w formie czytelnych wypunktowań zaprezentowane są kolejne etapy działania, a treść idealnie uzupełniają wyraźne, kolorowe zrzuty ekranowe.

Szczególnie użyteczne informacje zostały zebrane w ramkach.

CIEKAWOSTKA

Ciekawostka – prezentuje dodatkowe wiadomości, interesujące zwłaszcza dociekliwych czytelników. Opisuje także inne sposoby wykonania danej czynności (np. wymagające innych umiejętności).

?

WAŻNE

Ważne – zwraca uwagę na treści szczególnie istotne dla osoby korzystającej z tabletu.

!

WSKAZÓWKA

Wskazówka – przedstawia rozwiązania problemów, które mogą wystąpić w trakcie realizacji konkretnego zadania, oraz podpowiedzi dotyczące obsługi tabletu.

Na wybranych zrzutach ekranowych znajdują się odnośniki wskazujące poszczególne etapy wykonywanej właśnie czynności lub dostępne opcje.

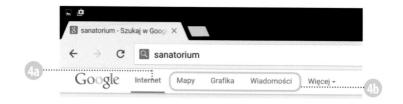

Na końcu poradnika umieszczono *Słowniczek*, w którym zostały wyjaśnione trudniejsze terminy pojawiające się w treści książki.

SPIS TREŚCI

● III. Aplikacje

● IV. Korzystanie z internetu

● V. Zdjęcia, wideo i dźwięk

VI. Komunikacja

VII. Tablet i komputer

VIII. Dodatkowe zastosowania tabletu

Wstęp

Gdy mówi się o dynamicznym rozwoju technologicznym, zarówno na całym świecie, jak i w Polsce, dużo uwagi poświęca się problemowi wykluczenia cyfrowego. Chodzi o to, by nie dopuścić do technologicznego rozwarstwienia społecznego – czyli do sytuacji, gdy obok ludzi świadomych możliwości nowoczesnych urządzeń, zapewniających cyfrową łączność, żyją ci, którzy nie potrafią z tych rozwiązań korzystać.

Pojęcie wykluczenia cyfrowego jest najczęściej rozpatrywane w kontekście majętności obywateli. Uważa się – skądinąd słusznie – że wykluczeni są ci, których nie stać na tablet, komputer czy inne urządzenie z dostępem do internetu, usług i aplikacji funkcjonujących w globalnej sieci. To jednak tylko część prawdy. Istnieje bowiem coraz liczniejsza grupa seniorów, ludzi wychowanych w epoce przedinternetowej. Te osoby może chciałyby poznać internet, nauczyć się korzystać z łączności sieciowej i danych komputerowych, ale są pomijane.

Szansę na cyfrową asymilację seniorów dają tablety – urządzenia znacznie prostsze w obsłudze od komputerów stacjonarnych i laptopów. Praktycznie nie mają części ruchomych, są lekkie i poręczne, a przy tym oferują potencjał niemal równy komputerom. Krótko mówiąc: nie wymagają od użytkownika żadnej wiedzy dotyczącej sprzętu. Tablet to tylko mała tabliczka z ekranem. Zapewnia ona dostęp do usług, danych, funkcji łącznościowych, dokumentów, muzyki, filmów i wielu, wielu innych typów informacji – cegiełek cyfrowego świata.

Tablet jest urządzeniem idealnym do tego, by bezboleśnie i z ciekawością zatopić się w cyfrowej rzeczywistości, eksplorować jej rozmaite regiony i poszukiwać treści dopasowanych do własnych zainteresowań. Mam cichą nadzieję, że niniejsza książka ułatwi ci tę fascynującą podróż.

Tablet – najważniejsze informacje

Nie sięgnąłbyś po tę książkę, gdybyś nie miał tabletu lub przynajmniej nie planował zakupu tego typu sprzętu. Skoro już masz urządzenie, poznaj jego możliwości i uwolnij drzemiący w nim potencjał. W książce przyjęto założenie, że dysponujesz tabletem z systemem Android. Co prawda na rynku dostępne są również sprzęty z systemem Windows i systemem Apple iOS, ale te z Androidem stanowią blisko 75 proc. Z pierwszego rozdziału dowiesz się, czym tak naprawdę jest tabliczka z ekranem, którą być może otrzymałeś w prezencie. Poznasz cechy charakterystyczne urządzeń tego typu, podstawowe zasady obsługi oraz różnice między tabletami tylko z Wi-Fi a tabletami z Wi-Fi i łącznością 3G/LTE.

1. Cechy charakterystyczne

Tablet to nic innego jak komputer. Oferuje podobny zestaw funkcji i możliwości jak urządzenie z klawiaturą i ekranem, znane już od kilkudziesięciu lat. Ekran tabletu jest zintegrowany z całym sprzętem, a klawiatury rzeczywistej najczęściej nie ma – zastępuje ją klawiatura wirtualna, wyświetlana na ekranie.

Czym charakteryzuje się każdy obecnie dostępny na rynku tablet z systemem operacyjnym Android? Poniższa lista prezentuje cechy wizualne i funkcjonalne wspólne dla wszystkich urządzeń, niezależnie od ich różnorodności.

● Prostokątny i płaski kształt – tablety najczęściej wyglądają jak małe telewizory, które można trzymać w rękach.

● Duży kolorowy ekran – zajmuje on niemal całą powierzchnię jednej strony urządzenia.

● Brak rzeczywistej klawiatury – tablet nie ma wbudowanej klawiatury komputerowej.

CIEKAWOSTKA

Na rynku można niekiedy spotkać oferty tabletów z klawiaturami. W takich przypadkach najczęściej chodzi o zestaw składający się z dwóch urządzeń: standardowego tabletu i bezprzewodowej klawiatury, czasami zintegrowanej z etui na tablet. Nie zmienia to faktu, że sam tablet nie ma rzeczywistej klawiatury – bywa ona jedynie dodatkiem do urządzenia.

?

● Sterowanie dotykiem – ekran każdego tabletu reaguje na dotyk. Wskazywanie palcem elementów widocznych na ekranie to podstawowa metoda obsługi urządzenia.

● Obracanie ekranu – treść na ekranie może być prezentowana w układzie pionowym bądź poziomym, w zależności od tego, jak w danej chwili trzymasz tablet. Za zmianę sposobu wyświetlania odpowiada specjalny czujnik wykrywający położenie urządzenia (akcelerometr).

- Możliwość połączenia z internetem – wszystkie tablety da się łączyć z internetem. Niektóre modele łączą się tylko za pośrednictwem sieci bezprzewodowych (Wi-Fi), a inne są dodatkowo wyposażane w moduł łączności z sieciami komórkowymi.
- Wbudowana kamera/aparat cyfrowy – cecha właściwa dla każdego tabletu. Większość urządzeń ma dwie kamery: przednią i tylną.
- Rozmiar – najpopularniejsze są sprzęty z ekranami o przekątnej 7–10 cali. Mniejsze urządzenia to już nie tablety, lecz phablety (czytaj: fablety), łączące w sobie cechy tabletów i smartfonów. Większe modele spotyka się rzadko; zwykle są to drogie sprzęty o specyficznych zastosowaniach.

Tablety, nawet te wyposażone w moduł łączności z sieciami komórkowymi, nie są telefonami. Łączność GSM jest wykorzystywana do przesyłu danych, a nie do prowadzenia rozmów telefonicznych.

Poniżej znajdziesz schemat budowy tabletu wraz z opisem najważniejszych elementów.

11

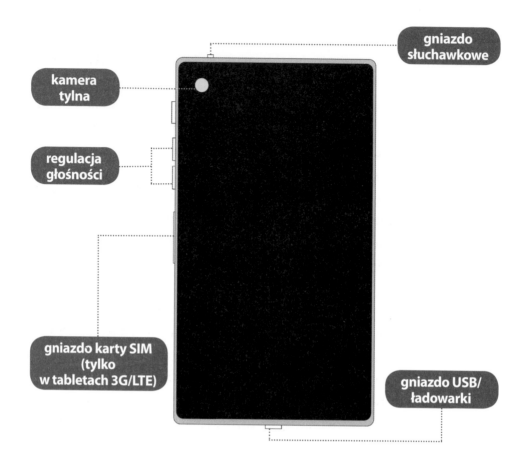

gniazdo
słuchawkowe

kamera
tylna

regulacja
głośności

gniazdo karty SIM
(tylko
w tabletach 3G/LTE)

gniazdo USB/
ładowarki

2. Podstawowe zasady użytkowania

Korzystanie z tabletu jest proste, ale wymaga pewnej zmiany przyzwyczajeń
– zwłaszcza jeśli ktoś wcześniej używał klasycznych komputerów z myszką
i klawiaturą. Tablet nie ma klawiatury, a zestaw przycisków umieszczanych
na obudowie ogranicza się najczęściej do włącznika i regulatorów głośności;
niekiedy producent dodaje przycisk ekranu głównego Androida. Praktycznie
wszystkie polecenia użytkownik wydaje urządzeniu za pośrednictwem
ekranu dotykowego.

Trzymanie urządzenia

Sposób trzymania tabletu zależy od tego, czy w danej chwili korzystasz ze
sprzętu w położeniu pionowym (dłuższe krawędzie po bokach), czy też

poziomym (dłuższe krawędzie u góry i na dole). Zawsze pamiętaj o ekranie dotykowym: przypadkowe dotknięcia mogą prowadzić do niepożądanych reakcji. Prawidłowe trzymanie pozwala zminimalizować ryzyko upuszczenia tabletu, a co za tym idzie – jego uszkodzenia. Warto więc przestrzegać następujących zasad:

- Najwygodniejszym i najbezpieczniejszym sposobem jest użycie obu rąk przy poziomym ułożeniu sprzętu. Masz wtedy bardzo stabilny chwyt: trzymasz tablet za boczne krawędzie, a kciuki dają ci dostęp do całego (w przypadku urządzeń 7-calowych) bądź prawie całego (tablety 10-calowe) ekranu bez odrywania którejkolwiek dłoni.
- Tablet możesz również trzymać jedną ręką – ale raczej tylko w położeniu pionowym. W ten sposób zapewniasz względnie stabilny chwyt, a za pomocą kciuka dłoni zajętej i palców dłoni swobodnej możesz sterować urządzeniem.
- Nie ma znaczenia, czy jesteś leworęczny, czy praworęczny – tablety są skonstruowane symetrycznie. Pamiętaj jedynie o rozmieszczeniu przycisków na krawędziach urządzenia: trzymaj sprzęt tak, by ich przypadkowo nie nacisnąć.

Trzymaj tablet stabilnie i pewnie. W żadnym razie nie powinno to uszkodzić urządzenia, zbyt delikatne trzymanie grozi natomiast upuszczeniem. Kontakt z twardą posadzką z pewnością będzie bardziej ryzykowny niż mocny chwyt!

Zasady bezpieczeństwa

Tablet może nie wygląda jak klasyczny komputer, ale także jest urządzeniem elektronicznym, wrażliwym na niektóre czynniki zewnętrzne. Poniższe zasady pozwolą ci dłużej cieszyć się prawidłowo działającym sprzętem.

- Tablet to urządzenie przenośne, ale używanie go w niesprzyjających warunkach (np. na mrozie) może skutkować uszkodzeniem. Najbezpieczniej jest korzystać z tabletu w pomieszczeniach zamkniętych o temperaturze pokojowej lub przynajmniej zbliżonej do pokojowej.

13

● Każdy tablet ma wbudowany akumulator. Ładuje się go za pomocą ładowarki, dostarczanej razem z urządzeniem, podłączanej do zwykłego gniazdka sieciowego z jednej strony i do złącza microUSB w tablecie z drugiej. Pamiętaj, aby nie pozostawiać urządzenia stale podłączonego do sieci energetycznej. Po naładowaniu akumulatora sprzęt należy odłączyć od prądu.

● Ponieważ głównym narzędziem komunikacji z tabletem jest ekran dotykowy, rozważ zakup specjalnej folii ochronnej, którą nakleja się na ekran. Takie akcesoria są powszechnie dostępne na rynku, a koszt folii ochronnej nie powinien przekraczać kilku złotych.

● Uważaj, by nie pozostawić urządzenia w silnie nasłonecznionym miejscu, zwłaszcza w sezonie letnim. Zbyt silne nagrzanie obudowy może zaszkodzić elektronice.

● Nie używaj tabletu w pomieszczeniach o wysokiej wilgotności lub na zewnątrz podczas opadów. Uwaga ta nie dotyczy tabletów wodoodpornych.

3. Tablet Wi-Fi i tablet 3G/LTE – różnice

Mimo olbrzymiej różnorodności tabletów dostępnych na rynku wszystkie urządzenia tego typu można podzielić na dwie grupy; kryterium stanowią obsługiwane sposoby łączności z internetem. Pierwsza grupa to tablety Wi-Fi, a druga – tablety 3G/LTE. Z tego podrozdziału dowiesz się, na czym dokładnie polega różnica i w jaki sposób cechy urządzeń konkretnego typu wpływają na użyteczność sprzętu.

Tablet Wi-Fi

Tablety Wi-Fi to urządzenia łączące się z internetem wyłącznie za pośrednictwem sieci bezprzewodowych. Taki sprzęt nie jest wyposażony w moduł karty SIM (karty abonenckiej użytkownika sieci komórkowej). Jedynymi kartami, które można zamontować w wybranych modelach, są karty pamięci (karty microSD), pozwalające użytkownikowi zapisywać więcej danych.

Oto cechy charakterystyczne tabletów Wi-Fi:

● Urządzenie możesz połączyć z internetem za pośrednictwem domowej sieci bezprzewodowej wyposażonej w łącze internetowe.

● Jeżeli nie korzystasz w domu z internetu i nie masz sieci Wi-Fi, nie uzyskasz w domu połączenia z internetem za pomocą tabletu Wi-Fi.

● Taki sprzęt może teoretycznie połączyć się z każdą siecią Wi-Fi. W praktyce wszystko zależy od tego, czy dana sieć jest zamknięta, czy też otwarta. Sieci zamknięte wymagają odpowiedniego hasła; jeżeli masz w domu sieć bezprzewodową, z pewnością wiesz, o jakim haśle mowa, bo właśnie nim chronisz tę sieć. W wielu miejscach użyteczności publicznej, punktach gastronomicznych, instytucjach edukacyjnych, na dworcach, lotniskach itp. działają otwarte sieci Wi-Fi, niewymagające wprowadzania hasła.

> **WAŻNE**
>
> Najbezpieczniejszą siecią Wi-Fi jest domowa sieć zamknięta, chroniona tobie tylko znanym hasłem. Sieci otwarte można wykorzystywać do przeglądania internetu w celu np. sprawdzenia pogody lub wiadomości. Nie zaleca się jednak przesyłania przez takie sieci jakichkolwiek danych poufnych, czyli wypełniania formularzy na stronach WWW, dokonywania zakupów w sklepach internetowych czy płacenia rachunków przez internet.

● Jeżeli nie potrzebujesz stałego dostępu do internetu z tabletu i masz w domu sieć Wi-Fi, wybór tabletu Wi-Fi jest w twoim przypadku wyborem optymalnym.

Tablet 3G/LTE

3G i LTE to różne standardy przesyłania danych przez sieci komórkowe. Jednak zarówno tablety 3G, jak i LTE (4G), obsługują wszystkie funkcje znane z tabletów Wi-Fi (również mają moduł umożliwiający połączenie z każdą siecią bezprzewodową), a dodatkowo pozwalają na łączenie się z siecią komórkową.

15

Oto cechy charakterystyczne urządzeń tego typu:

- Aby tablet 3G/LTE mógł się łączyć z siecią komórkową i za jej pośrednictwem wymieniać dane przez internet, trzeba wykupić odpowiedni pakiet internetowy u dowolnego operatora sieci komórkowej.

- Każdy tablet 3G/LTE jest wyposażony w moduł karty SIM. W tym module umieszczana jest karta otrzymana od operatora po wykupieniu pakietu internetowego.

- Jeżeli masz telefon komórkowy, możesz dostrzec podobieństwo między telefonem a tabletem 3G/LTE – oba urządzenia korzystają z podobnych kart SIM. Mimo to tablet nie jest telefonem, nie prowadzi się przez niego zwykłych rozmów telefonicznych.

CIEKAWOSTKA

Żaden tablet 3G/LTE nie jest fabrycznie przystosowany do prowadzenia rozmów telefonicznych. Urządzenia tego typu mogą jednak korzystać z identycznych kart SIM jak telefony komórkowe i są wyposażane w mikrofony. W internecie można znaleźć specjalne programy – nakładki dodające funkcje telefonu do wybranych modeli tabletów 3G/LTE, ale należy to traktować wyłącznie jako ciekawostkę. Wdrożenie takiego rozwiązania jest dla osoby niedoświadczonej trudne... a człowiek trzymający tablet jak telefon wygląda dość osobliwie.

- Tablet 3G/LTE może połączyć się z internetem wszędzie tam, gdzie jest zasięg sieci komórkowej.

- Transmisja danych z siecią komórkową to zawsze usługa płatna. Zalecanym sposobem korzystania z internetu przez sieć komórkową jest wykupienie pakietu internetowego u operatora (opłata z góry, określony limit ilości przesyłanych danych). W ten sposób wydasz mniej niż w przypadku płatności za każdą przesłaną jednostkę informacji.

- Terminy „3G" i „LTE" odnoszą się do standardów przesyłu danych w ramach usług świadczonych przez operatorów telefonii komórkowej.

Urządzenia pracujące w standardzie 3G przesyłają dane wolniej niż sprzęt zgodny ze standardem LTE.

● Tablety 3G są zwykle tańsze od tabletów LTE.

● Pamiętaj, że zasięgi 3G i LTE różnią się od siebie. Szybki standard LTE jest mniej dostępny niż sieć w standardzie 3G. Jeżeli jeszcze nie masz tabletu, lecz dopiero planujesz jego zakup, sprawdź, czy miejsce, w którym zamierzasz najczęściej korzystać z urządzenia, znajduje się w zasięgu sieci LTE. Mapy zasięgu poszczególnych operatorów znajdziesz na ich stronach internetowych.

WAŻNE

Tablet może działać bez jakiegokolwiek dostępu do sieci (brak sieci Wi-Fi w okolicy, brak zasięgu sieci komórkowej), ale nie będzie wtedy w pełni wykorzystany. Wiele aplikacji (programów) zainstalowanych na urządzeniu wymaga połączenia z internetem. Nie jest jednak prawdą, że tabletu nie da się używać bez takiego połączenia – może on przecież służyć jako czytnik książek albo odtwarzacz filmów i zdjęć. Wszystkie wymienione zasoby są przechowywane w pamięci urządzenia.

WSKAZÓWKA

Szczegółowe wskazówki dotyczące łączenia tabletu z internetem znajdziesz w rozdziale II.

II

Pierwsze kroki

W niniejszym rozdziale poznasz podstawy obsługi tabletu. Przeczytasz o tym, jak uruchomić nowe urządzenie. Dowiesz się, co to jest konto Google i dlaczego należy je założyć już po pierwszym uruchomieniu sprzętu. Zapoznasz się ze sposobami przekazywania poleceń za pośrednictwem ekranu dotykowego. Nauczysz się korzystać z klawiatury ekranowej, uzyskiwać za jej pomocą różne zestawy liter, cyfr, znaków i symboli oraz zmieniać podstawowe ustawienia menu.

1. Zakładanie konta Google

Po pierwszym uruchomieniu jakiegokolwiek urządzenia użytkownik musi zazwyczaj dokonać wstępnych ustawień. Kiedy włączasz nowy telewizor, ustawiasz kanały. W przypadku tabletu jest podobnie – aby z niego korzystać, musisz przejść przez procedurę konfiguracyjną. Dzięki poniższym wskazówkom na pewno będzie to łatwe.

Z uruchamianiem nowego urządzenia wiąże się założenie konta Google. Jest to konto użytkownika produktów i usług firmy Google. Słynie ona głównie z bardzo popularnej wyszukiwarki internetowej, ale jej oferta jest znacznie większa. Do produktów Google należy system operacyjny Android, pod którego kontrolą działa twój tablet. Dzięki kontu Google urządzenie będzie powiązane z tobą – jego właścicielem. Będziesz mógł korzystać z licznych usług internetowych (np. z poczty elektronicznej) za pośrednictwem tabletu.

1 Uruchom tablet: wciśnij przycisk włącznika i przytrzymaj go przez 2–3 s (krótkie naciśnięcie nie spowoduje uruchomienia sprzętu). Włącznik znajduje się na jednej z bocznych krawędzi urządzenia. Jeżeli nie jesteś pewien, gdzie umieszczono go w twoim modelu tabletu, zajrzyj do instrukcji obsługi, dostarczonej razem z urządzeniem.

> **WAŻNE**
>
> Procedura konfiguracyjna może się nieznacznie różnić w zależności od modelu tabletu, ale w każdym przypadku przebiega podobnie. Pamiętaj, by wstępną konfigurację przeprowadzać w miejscu, gdzie jest dostęp do internetu przez sieć bezprzewodową. Jeśli wolisz, skorzystaj z połączenia przez sieć komórkową (o ile masz tablet 3G/LTE). W razie braku dostępu do jakiejkolwiek sieci zapewniającej łączność z internetem możesz pominąć proces konfiguracji. Nie jest to jednak zalecane – wiele funkcji urządzenia będzie wtedy niedostępnych.

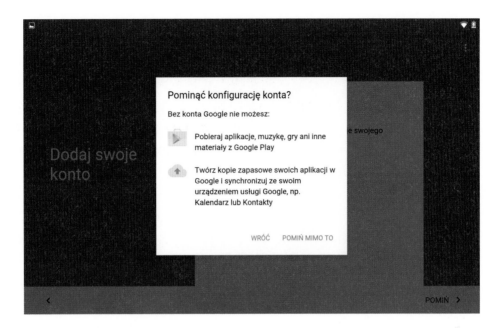

2 Po uruchomieniu tabletu na ekranie zobaczysz najprawdopodobniej logo systemu Android albo logo producenta. Po chwili – w zależności od wydajności urządzenia może to potrwać nawet kilkadziesiąt sekund – na ekranie pojawi się komunikat powitalny. Dotknij strzałki skierowanej w prawo, która wyświetla się pod komunikatem.

3 Kolejny etap nazywa się **Wybierz Wi-Fi**. Tablet prosi cię o wskazanie sieci bezprzewodowej, z którą ma się połączyć. Jeżeli mieszkasz w budynku wielorodzinnym, bardzo prawdopodobne, że urządzenie wykryje liczne sieci Wi-Fi. Z wyświetlonej listy wybierz nazwę swojej domowej sieci – po prostu wskaż ją na ekranie (a). Kliknij **Dalej** (b).

4 Pojawi się komunikat zawierający nazwę wybranej sieci i dwa polecenia: **Anuluj** oraz **Połącz**. Wskaż palcem to drugie polecenie.

5 Wyświetli się ramka służąca do wprowadzenia hasła. Za pomocą klawiatury ekranowej wpisz hasło do domowej sieci (a), a następnie wybierz polecenie **Połącz** (b).

21

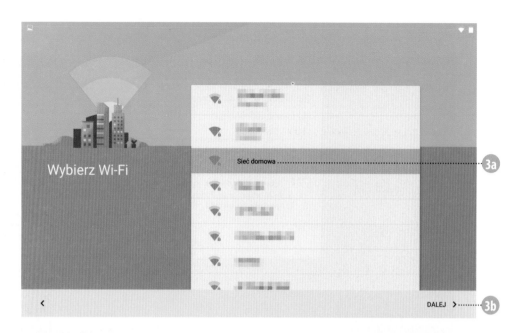

WSKAZÓWKA

Jeżeli hasło zawiera nietypowe znaki, które nie są widoczne na klawiaturze ekranowej, zajrzyj do wskazówek dotyczących obsługi klawiatury – znajdziesz je w dalszej części tego rozdziału.

6 Tablet spróbuje nawiązać połączenie z internetem za pośrednictwem wska-
zanej przez ciebie sieci Wi-Fi. Po nawiązaniu połączenia zobaczysz ekran
Dodaj swoje konto. To pierwszy etap właściwej procedury rejestracji konta
Google (w książce przyjęto założenie, że nie masz takiego konta). Wskaż
polecenie **Lub utwórz nowe konto**.

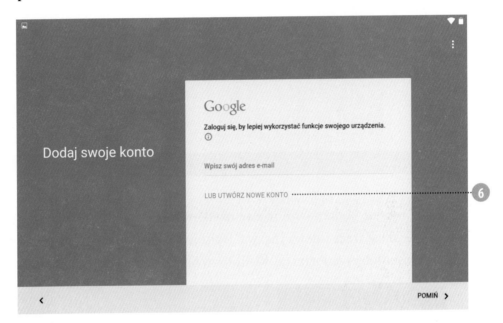

WAŻNE

Jeżeli masz już konto Google – np. korzystasz z poczty Gmail na komputerze PC lub laptopie – na tablecie używaj tego samego konta. Dane
przypisane do konta będą wtedy identyczne na każdym urządzeniu, za
pomocą którego się logujesz.

7 W kolejnym etapie wprowadź na ekranie (w odpowiednie pola) swoje imię
i nazwisko (a), a następnie wybierz polecenie **Dalej** (b).

23

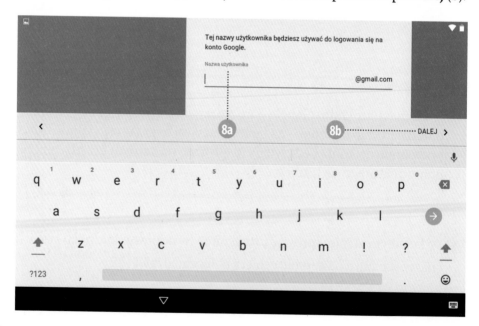

8 Teraz musisz podać swoją nazwę użytkownika. Ma ona postać: nazwa@ gmail.com. Zamiast słowa „nazwa" wpisujesz własny identyfikator, np. imię i nazwisko lub pseudonim (a). Kiedy to zrobisz, wskaż palcem napis **Dalej** (b).

9 Wpisz hasło, które będzie chroniło dostęp do zakładanego konta. Hasło musi zawierać przynajmniej 8 znaków (a). Kiedy już je wprowadzisz, wybierz **Dalej** (b).

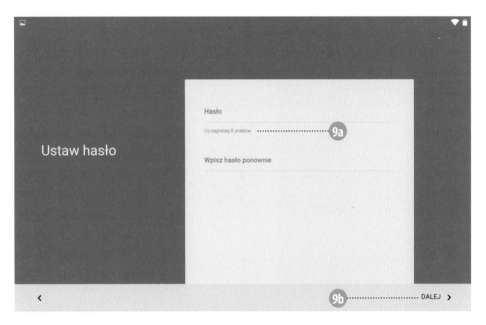

WSKAZÓWKA

Gdy wymyślasz hasło do konta Google, unikaj pospolitych wyrazów, imion, ciągów kolejnych znaków (abc) lub cyfr (1234). Konto musi być chronione hasłem o długości min. 8 znaków – zbudowanym z liter, cyfr i symboli. Kłopot w tym, że hasło spełniające te normy (np. „@e^Tj10!") bardzo trudno zapamiętać. Rozwiązaniem jest zastosowanie pewnego triku. Użyj dobrze znanego ci cytatu czy powiedzonka, przykładowo: „Litwo, Ojczyzno moja! ty jesteś jak zdrowie;". Zanotuj jedynie pierwsze litery wyrazów i znaki interpunkcyjne. Otrzymasz wtedy hasło „L,Om!tjjz;". Ponieważ brakuje w nim cyfr, możesz zastąpić literę „O" cyfrą „0" (zero). Ostateczna postać „L,0m!tjjz;" to skomplikowane, 10-znakowe hasło spełniające wymogi firmy Google i jednocześnie łatwe do zapamiętania, bo wiesz, co było jego podstawą. Ta porada sprawdzi się nie tylko w przypadku konta Google – dotyczy każdego konta w cyfrowym świecie, które chcesz chronić odpowiednio mocnym hasłem.

10 Wyświetli się ekran **Informacje pomocnicze**, zawierający propozycję podania numeru telefonu. Nie musisz go wpisywać – jeśli wolisz pominąć ten etap, wskaż polecenie **Przypomnij mi później**.

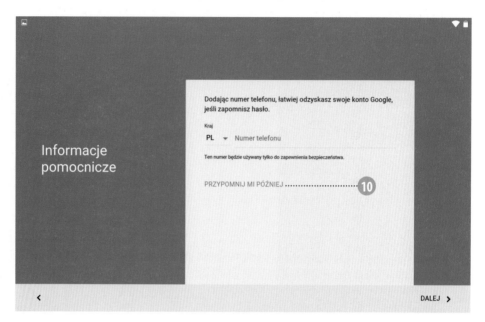

WAŻNE

Numer telefonu, o który jesteś proszony w trakcie rejestracji konta Google, służy wyłącznie bezpieczeństwu konta. Firma Google w żaden sposób nie wykorzysta go do komunikacji z tobą (np. w celu wysyłania reklam). Gdy zapomnisz hasło do konta, na podany numer otrzymasz hasło umożliwiające odzyskanie dostępu.

11 Ostatnim etapem jest zaakceptowanie polityki prywatności Google i warunków korzystania z usług. Żeby się z nimi zapoznać, wskaż niebieski napis **Warunki korzystania z usług...** (a). W celu zaakceptowania regulaminu wybierz **Zgadzam się** (b).

12 Kiedy wyświetli się podsumowanie poprzednich etapów zakładania konta, wskaż napis **Dalej**.

13 Na ekranie zobaczysz napis **Skonfiguruj informacje rozliczeniowe**. W tym momencie optymalnym wyborem jest zaznaczenie opcji **Przypomnij mi później** – zanim wprowadzisz dane dotyczące swoich finansów (umożliwiające m.in. zakup programów w sklepie Google Play), powinieneś lepiej poznać urządzenie (a). Po wybraniu tej opcji wskaż napis **Dalej** (b).

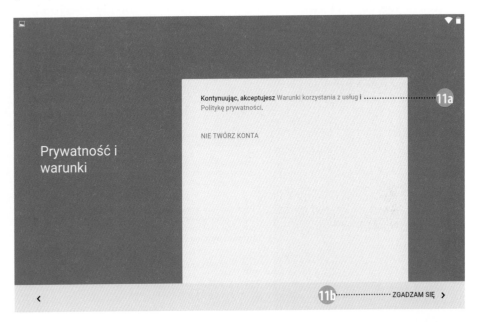

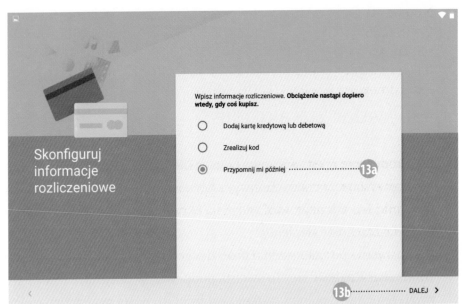

Informacje na temat sklepu Google Play i sposobów płacenia za produkty w nim nabywane znajdziesz w dalszej części książki.

14 Zobaczysz ekran **Usługi Google** – tutaj zalecane jest pozostawienie standardowych ustawień. Wybierz polecenie **Dalej**. To już ostatni etap wstępnej konfiguracji urządzenia.

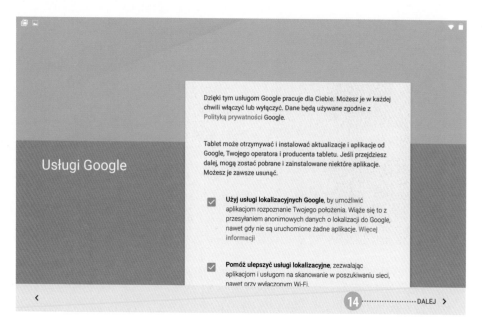

2. Co widać na ekranie?

Po zakończeniu rejestracji konta Google i wstępnej konfiguracji urządzenia na ekranie zobaczysz już właściwy ekran systemu Android. Ten podrozdział wyjaśni ci, co tak naprawdę widać na ekranie i jakie znaczenie użytkowe mają poszczególne elementy.

1 Bezpośrednio po zakończeniu procedury wstępnej konfiguracji zobaczysz komunikat **Rozgość się**. To swoista podpowiedź, dotycząca dwóch głównych elementów: pulpitu systemu Android (to pusta przestrzeń, na której wyświetla się napis **Dodaj tu swoje ulubione aplikacje**) (a) oraz paska aplikacji – znajdziesz go z boku ekranu (b). Na pasku widać zaznaczony symbol wywołujący ekran wszystkich dostępnych aplikacji, oznaczony napisem **Aby zobaczyć wszystkie aplikacje, dotknij okręgu**. Żeby zamknąć komunikat, wybierz przycisk **OK** (c).

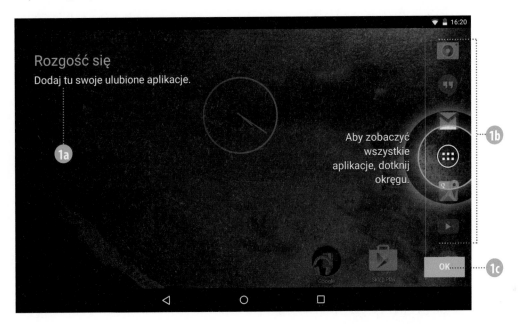

2 Zobaczysz właściwy wygląd ekranu startowego (pulpitu) Androida. Ilustracja na kolejnej stronie przedstawia jego przykładowy wygląd.

WAŻNE

Standardowo system Android jest tak skonfigurowany, by po 30 s braku aktywności użytkownika wygaszać ekran urządzenia. Służy to oszczędności energii akumulatora tabletu. Jeżeli ekran twojego urządzenia zgaśnie, będzie to spowodowane właśnie automatycznym wygaszeniem po okresie nieaktywności, a nie wadą tabletu. Aby ponownie wyświetlić pulpit systemu Android, wciśnij i przez chwilę przytrzymaj włącznik. Wyświetli się wtedy tzw. ekran blokady. Przeciągnij po nim palcem w dowolną stronę – w ten sposób wyłączysz blokadę i wywołasz ekran główny.

29

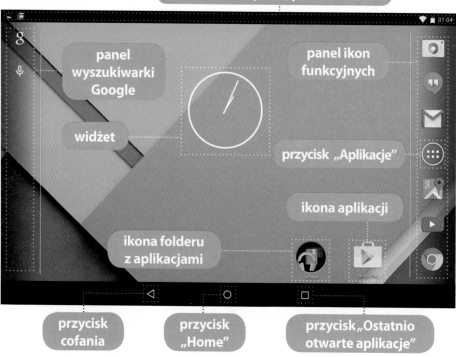

pasek stanu i pasek powiadomień

panel wyszukiwarki Google

panel ikon funkcyjnych

widżet

przycisk „Aplikacje"

ikona aplikacji

ikona folderu z aplikacjami

przycisk cofania

przycisk „Home"

przycisk „Ostatnio otwarte aplikacje"

3. Obracanie ekranu

Na ilustracji z poprzedniego podrozdziału – tej przedstawiającej pulpit Androida – widać ekran główny w układzie poziomym. Każdy tablet z systemem Android jest wyposażony w układy żyroskopowe, które wykrywają położenie urządzenia i dopasowują do niego zawartość ekranu.

1 Chwyć tablet poziomo. Uaktywnij ekran, wciskając włącznik, a następnie przeciągnij palcem po ekranie, by wyłączyć ekran blokady. Powinieneś zobaczyć pulpit systemu Android, taki jak na ilustracji z poprzedniego podrozdziału.

2 Obróć urządzenie o 90 st. Spowoduje to zmianę układu wyświetlanych elementów. Pasek z ikonami funkcyjnymi znajdzie się w dolnej części ekranu (a), a powyżej zobaczysz ikony aplikacji umieszczone na pulpicie Androida i widżet z zegarkiem (b). Na górze, pod paskiem powiadomień, widoczny będzie pasek wyszukiwania (c) – jedyny element pulpitu, którego wygląd zmienia się na skutek zmiany położenia tabletu (ale funkcje pozostają takie same).

WSKAZÓWKA

Informacje na temat wykorzystania paska wyszukiwania znajdziesz w rozdziale IV.

3 Nie ma sztywnej reguły nakazującej używanie tabletu w układzie pionowym bądź poziomym. Ze względu na gabaryty urządzenia często wygodniejszy jest układ poziomy, lecz w przypadku niektórych czynności, np. czytania książek elektronicznych, bardziej naturalny wydaje się układ pionowy. Jeśli tylko dana aplikacja czy funkcja działa w obu ułożeniach, o wyborze trybu decyduje użytkownik.

4. Sterowanie dotykiem

Każde urządzenie elektroniczne ma jakiś panel kontrolny, pozwalający użytkownikowi na przekazywanie poleceń. W przypadku komputera stacjonarnego lub laptopa używasz klawiatury i myszy, telewizor zwykle obsługujesz pilotem, a funkcjami tabletu sterujesz przez ekran dotykowy.

Podczas wstępnej konfiguracji urządzenia poznałeś już tzw. gest dotknięcia; polega on na wywołaniu jakiejś funkcji przez wskazanie symbolu czy polecenia wyświetlanego na ekranie. W tym podrozdziale opisano pozostałe gesty, czyli określone sposoby sterowania tabletem za pomocą ekranu dotykowego.

CIEKAWOSTKA

W kontekście pracy z ekranem dotykowym słowo „gesty" oznacza specyficzne sposoby poruszania palcami na ekranie tabletu.

1 **Gest dotknięcia.** Aby włączyć jakąś funkcję reprezentowaną przez pojedynczy obiekt widoczny na ekranie, po prostu dotknij tego obiektu. Przykładowo: w celu wywołania ekranu aplikacji puknij palcem w charakterystyczny, kolisty symbol aplikacji. Znajdziesz go w środku panelu ikon funkcyjnych, który wyświetla się po prawej stronie (w układzie poziomym) lub na dole ekranu (w układzie pionowym). Informacje na temat aplikacji podano w rozdziale III.

WSKAZÓWKA

Podczas ćwiczeń z ekranem dotykowym z pewnością zdarzy ci się przypadkowo uruchamiać różne funkcje i aplikacje. Aby wrócić do ekranu głównego, możesz użyć przycisku „Home", oznaczonego kółkiem i widocznego zawsze na dole ekranu. Ewentualnie skorzystaj z przycisku cofnięcia, symbolizowanego przez znak trójkąta (po lewej stronie przycisku „Home"). W zależności od modelu tabletu przyciski te mogą być elementami obudowy urządzenia albo przyciskami wyświetlanymi na ekranie.

2 **Dotknięcie i przytrzymanie.** Kolejnym gestem, który działa w przypadku wielu obiektów widocznych na ekranie (np. ikon), jest wskazanie danego elementu i przytrzymanie palcem (bez przesuwania!). Po niecałej sekundzie zaobserwujesz zmianę – na ekranie pojawią się nowe funkcje, menu, symbole czy inne elementy pozwalające na wykonanie jakiejś akcji dotyczącej wybranego obiektu. Przykładową operacją wykorzystującą ten gest jest porządkowanie elementów pulpitu (ekranu głównego). Np. jeśli chcesz usunąć stamtąd ikonkę **Sklep Play**, wystarczy, że jej dotkniesz i ją przytrzymasz. Po chwili na ekranie – w obszarze zajmowanym dotychczas przez pasek wyszukiwania – pojawi się symbol **X**. Jeżeli teraz, cały czas przytrzymując ikonkę **Sklep Play**, przeciągniesz ją nad ten znak, ikonka zmieni kolor: stanie się czerwona. Oderwanie palca od ekranu (czyli niejako upuszczenie przeciąganego elementu) skutkuje usunięciem wybranej ikonki z pulpitu. Nie usuwaj jej jednak– chodzi tu wyłącznie o pokazanie, jak działa omawiany gest.

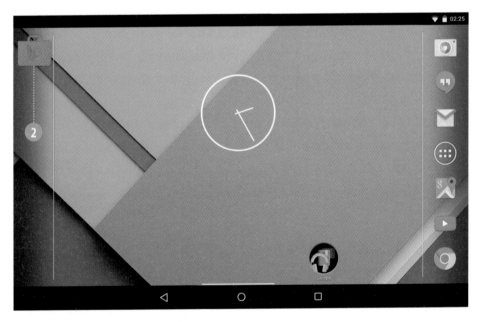

WAŻNE

Usunięcie elementu z ekranu głównego nie oznacza całkowitego usunięcia danej aplikacji z systemu Android. Z rozdziału III dowiesz się, jak zarządzać zawartością ekranu głównego i dodawać do niego ikony wybranych przez ciebie aplikacji.

3 **Gest przeciągnięcia.** Polega on na przyłożeniu palca w określonym miejscu ekranu, a następnie przesunięciu palca w inne miejsce (bez odrywania!). Właśnie tego gestu używasz, by odblokować ekran po jego wyłączeniu i powtórnym włączeniu. Ponadto przeciągnięcie jest przydatne podczas przemieszczania ikonek na pulpicie Androida (informacje na temat umieszczania ikon na pulpicie znajdziesz w kolejnym rozdziale).

4 **Gest szczypania.** Polega na jednoczesnym dotknięciu rozsuniętymi palcami dwóch różnych miejsc na ekranie, a następnie zsunięciu palców bez odrywania ich od powierzchni. Szczypanie przydaje się w niektórych aplikacjach – pozwala np. zmienić skalę wyświetlanej mapy w aplikacji **Mapy**. Innym przykładem zastosowania gestu jest oddalanie widoku zdjęć przeglądanych na ekranie (więcej na temat odtwarzania fotografii na tablecie dowiesz się z rozdziału V).

5 **Gest rozpychania/powiększania.** To przeciwieństwo szczypania: również dotykasz ekranu dwoma palcami, ale złączonymi. Dopiero później rozsuwasz palce (nie odrywaj ich od powierzchni ekranu!). Ten gest służy np. do powiększania zdjęć wyświetlanych na ekranie tabletu.

5. Korzystanie z klawiatury na ekranie

Z pewnością wiele razy widziałeś klawiaturę komputera czy laptopa lub jej używałeś. Wprowadzanie znaków za pomocą klawiatury to najpopularniejszy sposób wpisywania treści do komputera. Tablet także jest komputerem, ale pozbawionym fizycznej klawiatury. Jej ekwiwalent stanowi klawiatura ekranowa, którą miałeś okazję poznać już podczas wstępnej konfiguracji urządzenia i rejestracji konta Google. Z tego podrozdziału dowiesz się, jak za pomocą klawiatury ekranowej tabletu wprowadzać oraz usuwać małe i wielkie litery, cyfry, znaki interpunkcyjne i inne znaki specjalne. Praca z taką klawiaturą niewątpliwie wymaga przyzwyczajenia. Jednak im częściej będziesz z niej korzystać, tym szybciej i sprawniej będziesz pisać teksty. Trening czyni mistrza.

CIEKAWOSTKA

W trakcie rejestracji konta Google mogłeś zauważyć, że klawiatura ekranowa wyświetlała się automatycznie zawsze wtedy, gdy na ekranie widoczne było dowolne pole tekstowe – czyli element służący do wprowadzenia tekstu przez użytkownika. Ten mechanizm działa w całym systemie Android. Jeżeli jakakolwiek aplikacja czy funkcja wymaga wpisania tekstu, dotknięcie pola tekstowego skutkuje automatycznym wyświetleniem klawiatury ekranowej.

?

Wprowadzanie i usuwanie znaków

Aby zacząć korzystać z klawiatury ekranowej, musisz wywołać jakąś aplikację (program) lub funkcję, które wymagają użycia klawiatury. Przykładem jest program **Dokumenty**, standardowo dostępny w systemie Android.

1 Uaktywnij ekran tabletu, używając przycisku włącznika, a następnie wyłączając ekran blokady. Na pulpicie Androida dotknij ikony menu aplikacji.

2 Na ekranie aplikacji wskaż ikonkę **Dokumenty**.

3 Wyświetli się ekran główny programu **Dokumenty**. Aby rozpocząć tworzenie dokumentu tekstowego w celu przećwiczenia działań na klawiaturze, dotknij symbolu ze znakiem **+**.

Dokumenty

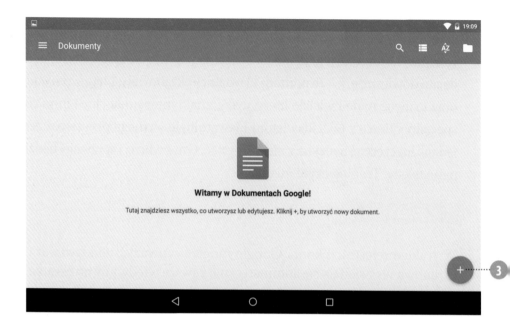

4 W ten sposób utworzysz nowy dokument. W górnej części ekranu pojawi się obszar roboczy dokumentu (wirtualna kartka papieru, na której będziesz pisać), a w dolnej – klawiatura.

5 **Wprowadzanie liter.** Wpisz jakieś słowo, np. „Tablet": po prostu dotykaj kolejno odpowiednich przycisków. Zauważ, że zanim wprowadziłeś pierwszy znak, wszystkie litery na klawiaturze były wielkie; dopiero potem tablet automatycznie zamienił je na małe. Klawiatura ekranowa stara się przewidzieć, co użytkownik chce wprowadzić, i uwzględnia reguły pisowni – np. to, że zdania zaczynają się od wielkiej litery.

Tablet

WSKAZÓWKA

Podpowiedzi: „Inteligencja" klawiatur ekranowych nie ogranicza się do automatycznego stosowania reguł pisowni danego języka. Zwróć uwagę na obszar między polem roboczym dokumentu a klawiaturą ekranową. To tzw. pasek podpowiedzi. Wyświetlają się w nim propozycje wyrazów pasujących do wprowadzanego ciągu znaków. Dzięki temu wpisywanie długich słów (np. „niezidentyfikowany") jest znacznie prostsze. Już gdy podasz pięć pierwszych liter słowa, system powinien wyświetlić cały wyraz na pasku podpowiedzi – jako jedną z trzech propozycji. Aby szybko wprowadzić słowo do tworzonego dokumentu, wskaż palcem właściwą podpowiedź z paska.

37

6 **Wpisywanie pojedynczych wielkich liter.** Po obu stronach klawiatury ekranowej, w jej dolnej części (drugi rząd od dołu), znajdują się przyciski ze strzałką w górę – klawisze **Shift**, zwane też klawiszami modyfikatora. Wciśnięcie jednego z nich spowoduje zmianę jego koloru i zmianę liter na wielkie. Po wprowadzeniu jednej wielkiej litery klawiatura automatycznie powróci do standardowego trybu z małymi literami.

7 **Zapisywanie całych wyrazów wielkimi literami.** Niekiedy trzeba zapisać całe słowo wielkimi literami. Teoretycznie możesz kilkakrotnie powtarzać operacje z poprzedniego punktu, ale byłoby to kłopotliwe. Aby wprowadzić np. skrót „ZUS", wystarczy szybko dwukrotnie dotknąć klawisza modyfikatora. Tym razem po wpisaniu wielkiej litery klawiatura nie powróci automatycznie do trybu liter małych – nadal będą dostępne wielkie. Do standardowego trybu wrócisz dzięki pojedynczemu wskazaniu klawisza modyfikatora.

8 **Usuwanie znaków.** Żeby usunąć właśnie wprowadzony znak, posłuż się klawiszem kasowania (**Backspace**), który znajdziesz na prawo od litery „P". Widoczny jest na nim znak przypominający skierowaną w prawo strzałkę z krzyżykiem.

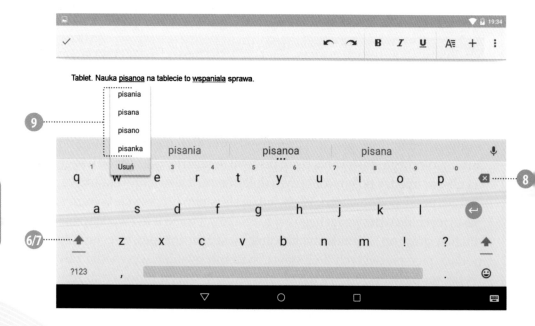

9 **Poprawianie błędów.** Jeżeli dopiero po jakimś czasie zorientujesz się, że popełniłeś błąd, nie ma sensu kasować całej treści wprowadzonej po tej pomyłce. Wystarczy wskazać palcem wyraz z błędem – na ekranie pojawi się menu z propozycjami właściwej pisowni. Ponadto wskazanie słowa prowadzi do ustawienia w nim kursora tekstu, czyli zaznaczenia miejsca, od którego zaczniesz pisanie, gdy wciśniesz jakiś przycisk. Dzięki temu błąd możesz poprawić również ręcznie – po prostu wpisz wyraz w poprawnej formie.

Polskie znaki

Jeżeli miałeś okazję wprowadzać tekst na komputerze, wiesz, że aby uzyskać polskie znaki, trzeba użyć prawego klawisza **Alt**. Jest on jednak niedostępny na ekranowej klawiaturze w systemie Android. Na tablecie polskie znaki wprowadza się w inny sposób, wyjaśniony poniżej.

1 Aby użyć polskiego znaku we wpisywanym tekście, przytrzymaj palec na przycisku najbardziej przypominającym polski znak, o który ci chodzi. Przykładowo: gdy potrzebujesz litery „ą", przytrzymaj palec na przycisku „a", a gdy chcesz wstawić „ś", przytrzymaj „s".

2 Spróbuj wpisać słowo „Święty". Pierwsza litera to „Ś", przytrzymaj więc palec na „S". Po chwili zobaczysz na ekranie dodatkowy panel ze znakami narodowymi podobnymi do tej litery. Nie zdejmuj palca z przycisku.

3 Aby wprowadzić „Ś", po prostu przesuń palec (bez odrywania) nad literę „Ś" – dopiero teraz możesz zabrać palec z ekranu. W edytowanym dokumencie pojawiło się „Ś". W analogiczny sposób uzyskasz „ę", również potrzebne do wpisania wyrazu „Święty".

Symbole i znaki specjalne

Pisanie tekstu na tablecie nie jest już dla ciebie tajemnicą. Niekiedy jednak trzeba wprowadzić cyfry, symbole specjalne i znaki interpunkcyjne inne niż kropka, przecinek, pytajnik i wykrzyknik (te cztery znaki znajdziesz w standardowym zestawie przycisków na klawiaturze ekranowej). Jak umieścić te znaki i symbole w dokumencie? Poniżej znajdziesz odpowiedź.

1 Jeżeli chcesz użyć cyfry lub nietypowego znaku interpunkcyjnego, niedostępnego w standardowym układzie klawiatury, wybierz przycisk zmieniający tryb działania klawiatury ekranowej. Jest on oznaczony jako **?123**.

?123

2 Na klawiaturze zamiast liter zobaczysz cyfry i symbole specjalne. Wprowadzasz je do tekstu w dokładnie taki sam sposób jak litery.

3 Zestaw widoczny w trybie symboli nie zawiera wszystkich znaków, które da się wprowadzić za pomocą klawiatury ekranowej. W trybie wyświetlania cyfr i symboli specjalnych przycisk wcześniej oznaczony jako **?123** ma postać **~[<**. Jego dotknięcie prowadzi do wyświetlenia kolejnego zestawu symboli, które możesz wykorzystać w tekstach wprowadzanych na ekranie tabletu.

WSKAZÓWKA

Pamiętasz, jak wprowadza się na tablecie polskie znaki? Taki sam mechanizm działa w przypadku niektórych przycisków z symbolami. Przykładowo: dotknięcie i przytrzymanie przycisku z symbolem % (procent) skutkuje wyświetleniem dodatkowego panelu, w którym znajdziesz symbol ‰ (promil). Przycisków ukrywających dodatkowe, standardowo niewidoczne symbole jest więcej. Poeksperymentuj.

4 Do standardowego trybu wyświetlania klawiatury wrócisz po naciśnięciu przycisku **ABC** – znajdziesz go w lewym dolnym rogu klawiatury. Jest on widoczny wyłącznie w trybie symboli specjalnych i cyfr.

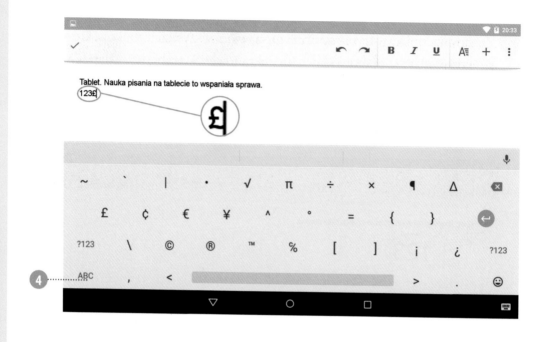

6. Podłączanie tabletu do sieci

Znaczenie łącza internetowego dla użyteczności tabletu jest bardzo duże. Teoretycznie da się używać tego sprzętu bez internetu, ale w praktyce traci się wtedy możliwość korzystania z wielu ciekawych funkcji i aplikacji. Zdecydowanie zalecane jest więc połączenie tabletu z internetem. Poniżej znajdziesz podpowiedź, jak to zrobić.

Internet przez Wi-Fi

Jeden ze sposobów łączenia tabletu z siecią Wi-Fi poznałeś już na etapie wstępnej konfiguracji urządzenia i zakładania konta Google. Tutaj znajdziesz instrukcje dotyczące łączenia się z dowolną siecią Wi-Fi. Wiele sieci tego typu jest dostępnych na lotniskach i dworcach, w pociągach, kawiarniach itp.

1 Uaktywnij ekran tabletu, wyłączając blokadę (przypomnienie: przyciśnij włącznik i przeciągnij palcem po ekranie). Następnie dotknij ikony menu aplikacji – to środkowa ikona na panelu ikon funkcyjnych.

2 Na ekranie aplikacji odnajdź ikonę **Ustawienia**. Wskaż ją palcem.

3 Właśnie uaktywniłeś ekran ustawień tabletu. W górnej części – w grupie **Sieci zwykłe i bezprzewodowe** (a) – wybierz element **Wi-Fi** (b).

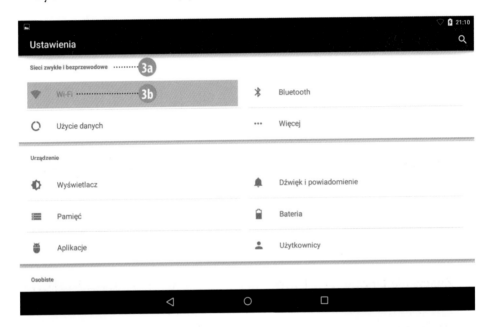

4 Na kolejnym ekranie, po prawej stronie, widać przełącznik, służący do włączania i wyłączania modułu łączności bezprzewodowej w tablecie. Standardowo łączność Wi-Fi jest aktywna, co powinno skutkować wyświetleniem listy sieci bezprzewodowych dostępnych w zasięgu.

5 Spośród wykrytych sieci wybierz tę, z którą chcesz się połączyć – wskaż palcem jej nazwę (a). Jeżeli jest to sieć otwarta, połączenie zostanie nawiązane natychmiast. W przypadku sieci zamkniętej najpierw zostaniesz poproszony o wprowadzenie hasła (b).

43

6 Jeśli łączysz się z siecią zamkniętą, dostęp do internetu uzyskasz kilka sekund po wprowadzeniu prawidłowego hasła.

Dostęp do otwartych sieci Wi-Fi można uzyskać bez wprowadzania jakiegokolwiek hasła. Sieci tego typu istnieją w różnych miejscach użyteczności publicznej, w restauracjach, kawiarniach, na dworcach, lotniskach itp. Z kolei zamknięte sieci Wi-Fi są dostępne wyłącznie dla osób znających hasło (tak jak w przypadku twojej domowej sieci bez-przewodowej). Szczegółowe informacje na temat dostępności sieci otrzymasz od personelu pracującego w danym miejscu. Pamiętaj, że korzystanie z internetu w miejscach publicznych jest mniej bezpieczne niż dostęp do globalnej sieci przez zabezpieczoną sieć domową.

Internet przez sieć komórkową (3G/LTE)

Jeżeli dysponujesz tabletem wyposażonym w moduł łączności 3G/LTE, łączenie się z internetem nie wymaga żadnych dodatkowych czynności. Muszą być jednak spełnione dwa warunki:

1 Tablet musi mieć zainstalowaną kartę SIM – otrzymaną od operatora sieci komórkowej, za której pośrednictwem będzie się łączył z internetem.

2 Urządzenie musi się znajdować w zasięgu sieci danego operatora. Pamiętaj: łączność będzie zapewniona do momentu wyczerpania wykupionego pakietu internetowego (limitem jest ilość danych przesłanych między internetem a twoim sprzętem).

Kiedy powyższe warunki są spełnione, tablet automatycznie nawiązuje połączenie z siecią komórkową i z internetem.

Symbol połączenia z siecią komórkową znajdziesz w górnej części ekranu. Kiedy tablet jest połączony z siecią Wi-Fi, wskaźnik ten się nie wyświetla.

45

7. Zmiana wielkości czcionki

Ekran tabletu jest dużo większy niż ekran telefonu komórkowego, niemniej często prezentuje znacznie więcej informacji. Jeżeli wyświetlany tekst wydaje ci się zbyt mały, zastosuj poniższe wskazówki.

1 Wywołaj ekran **Ustawienia** (w tym celu na pulpicie systemu Android dotknij ikonki menu aplikacji, a następnie na ekranie aplikacji wskaż **Ustawienia**). Odnajdź grupę **Urządzenie** (a) i wybierz element o nazwie **Wyświetlacz** (b).

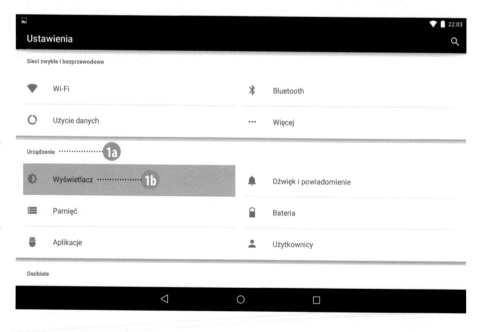

2 Zobaczysz ekran **Wyświetlacz**, zawierający listę opcji dotyczących wyświetlacza. Wskaż na tej liście pozycję **Rozmiar czcionki**.

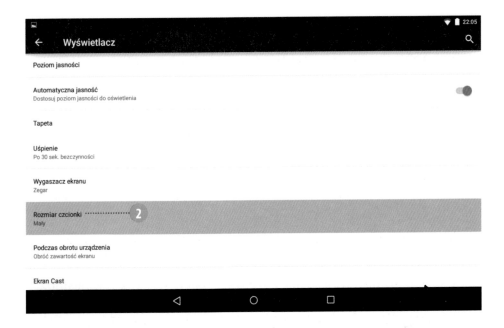

3 Pojawi się ramka z dostępnymi wariantami wielkości czcionki. Zmiany wprowadzane są natychmiast po zaznaczeniu konkretnej opcji. Wypróbuj różne warianty i wybierz optymalny dla siebie rozmiar czcionki na tablecie.

Opisana zmiana wielkości czcionki wpływa na wielkość liter nie tylko w napisach widocznych na ekranie **Ustawienia**, lecz także w wielu innych aplikacjach i ekranach systemowych. Wiele programów ma własne ustawienia umożliwiające zmianę wielkości znaków, a co za tym idzie – zwiększenie czytelności tekstu na ekranie tabletu.

8. Regulacja głośności dźwięku

Tablet to nie telefon, więc nie musisz się martwić, że niechciane połączenia telefoniczne będą cię budzić w środku nocy. Jednak tablet może generować dźwiękowe powiadomienia, z pewnością niepożądane np. podczas ważnego spotkania. Na szczęście możesz łatwo sterować głośnością.

1 W znany ci już sposób wywołaj ekran **Ustawienia**. Następnie w grupie **Urządzenie** (a) wskaż element o nazwie **Dźwięk i powiadomienie** (b).

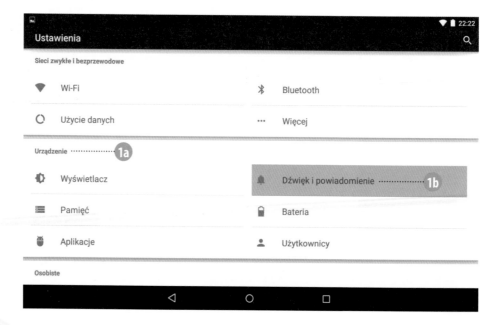

2 Na ekranie **Dźwięk i powiadomienie** zobaczysz trzy suwaki sterujące głośnością. Pierwszy z nich odpowiada za głośność multimediów, czyli dźwięku w aplikacjach muzycznych, filmach odtwarzanych na tablecie, grach itp.

3 Suwak **Głośność alarmu** reguluje głośność ustawionych dźwięków alarmowych (np. budzika).

4 Suwak **Głośność powiadomień** służy do ustalania głośności nowych powiadomień (np. informacji o wiadomościach w poczcie elektronicznej – więcej na temat poczty znajdziesz w rozdziale VI).

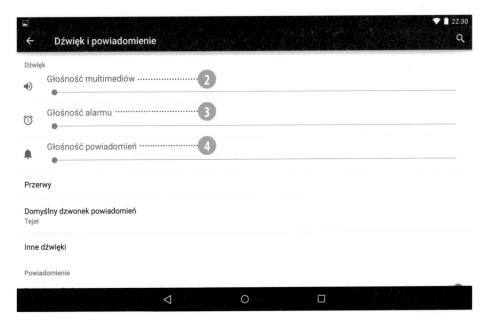

WSKAZÓWKA

Każdy tablet ma przyciski regulujące głośność, jednak za ich pomocą tylko częściowo wpływasz na głośność urządzenia. Przykładowo: jeżeli użyjesz tych przycisków na ekranie głównym Androida, zmienisz głośność powiadomień, ale nie zmodyfikujesz głośności multimediów. Tę drugą możesz z kolei ustawić przyciskami głośności tylko wtedy, gdy odtwarzasz na tablecie film lub muzykę bądź masz uruchomioną jakąś grę.

III

Aplikacje

O użyteczności produktu z branży nowoczesnych technologii decydują przede wszystkim aplikacje. Gdyby nie one, komputer, tablet czy smartfon byłby wyłącznie wyrafinowanym zbiorem kompletnie nieprzydatnych elektronicznych komponentów. To aplikacje – inaczej: programy – nadają sens działania takim urządzeniom. Już informacje prezentowane na ekranie po pierwszym uruchomieniu pochodzą z oprogramowania. Fundamentem wszystkich aplikacji działających na tablecie jest system operacyjny Android, umożliwiający sterowanie sprzętem i wydawanie mu poleceń. Sam system operacyjny nie na wiele by się jednak zdał, gdyby nie programy pełniące najróżniejsze funkcje. W tym rozdziale utrwalisz wiedzę na temat uruchamiania aplikacji i poznasz programy wbudowane w system Android. Ponadto dowiesz się, jak wyłączać aplikacje, przełączać się między nimi, instalować je, usuwać, aktualizować.

1. Aplikacje wbudowane – jak z nich korzystać?

Tablet jest fabrycznie wyposażony w spory zestaw aplikacji. Z tego podrozdziału dowiesz się, jakie zadania wykonują standardowe programy, jak je uruchamiać i zamykać, a także jak przełączać się między już włączonymi programami. Poniżej znajdziesz krótki opis wbudowanych aplikacji systemu Android.

- **Aparat.** Aplikacja umożliwiająca rejestrację zdjęć i filmów za pomocą tabletu.
- **Arkusze.** Arkusz kalkulacyjny na tablecie: obliczenia, tabelki, zestawienia itp.
- **Chrome.** Przeglądarka WWW (więcej na jej temat w rozdziale IV).
- **Dokumenty.** Poznany już przez ciebie program do pisania tekstów.
- **Dysk.** Usługa Google oferująca przestrzeń w internecie na pliki użytkownika.
- **Earth.** Bardzo dokładny wirtualny atlas świata.
- **Filmy Play.** Internetowa wypożyczalnia filmów.
- **Gmail.** Program do zarządzania pocztą elektroniczną.
- **Google.** Wyszukiwarka internetowa.
- **Google+.** Sieć społecznościowa firmy Google. Ułatwia kontakt z innymi użytkownikami usług Google.
- **Gry Play.** Aplikacja ułatwiająca wyszukiwanie gier i dzielenie się wynikami ze znajomymi.
- **Hangouts.** Program do komunikacji: prowadzenia rozmów audio, wideo i tekstowych.
- **Kalendarz.** Funkcjonalny kalendarz z terminarzem i przypomnieniami, zintegrowany z pocztą elektroniczną.
- **Kalkulator.** Codzienna pomoc w rachunkach.
- **Keep.** Aplikacja do tworzenia szybkich notatek.
- **Kiosk Play.** Sklep z elektronicznymi czasopismami i aplikacja dostarczająca wiadomości z całego świata.
- **Kontakty.** Program pełniący funkcję książki teleadresowej.

- **Książki Play.** Internetowa księgarnia firmy Google.
- **Mapy.** Dokładne mapy całego świata i dodatkowo funkcja nawigacji samochodowej.
- **Muzyka Play.** Połączenie sklepu muzycznego i odtwarzacza audio.
- **Poczta.** Alternatywny program do zarządzania elektroniczną korespondencją.
- **Prezentacje.** Aplikacja do tworzenia i edycji prezentacji.
- **Sklep Play.** Program dający dostęp do zasobów sklepu Google Play.
- **YouTube.** Najpopularniejszy serwis wideo na świecie.
- **Zdjęcia.** Aplikacja do zarządzania cyfrowymi fotografiami.
- **Zegar.** Nie tylko zegar (ze wszystkimi strefami czasowymi) – również budzik, stoper i minutnik.

Uruchamianie aplikacji

W zasadzie umiesz już uruchamiać aplikacje – podczas ćwiczeń z klawiaturą ekranową (patrz poprzedni rozdział) korzystałeś z aplikacji **Dokumenty**. Dla utrwalenia warto jednak zapoznać się z uniwersalnym sposobem uruchamiania każdej aplikacji zainstalowanej na tablecie pracującym pod kontrolą Androida.

1 Uaktywnij ekran główny systemu Android. Każda widoczna na nim ikona to symbol konkretnej aplikacji. Aby uruchomić daną aplikację, po prostu dotknij jej ikonki.

2 Powinny wyświetlić się opcje i funkcje oferowane przez włączony program. Aby powrócić do ekranu głównego (pulpitu), możesz użyć przycisku „Home" lub przycisku cofania.

3 Standardowo na pulpicie systemu Android znajduje się niewiele aplikacji. W tablecie jest ich znacznie więcej. Aby uruchomić program, którego ikony nie ma na pulpicie, dotknij przycisku **Aplikacje**, umieszczonego na ekranie głównym.

4 Zobaczysz mnóstwo ikon aplikacji. Najprawdopodobniej nie wszystkie zmieszczą się jednocześnie na ekranie – przeciągając palcem, odsłonisz

kolejne zestawy. Uruchomienie programu odbywa się tak samo jak w przypadku ikon umieszczonych na pulpicie. Musisz po prostu dotknąć wybranej ikonki.

Menu aplikacji zawiera nie tylko ikonki, lecz także widżety. Widżet to również symbol reprezentujący jakiś program – ale będący zarazem miniaplikacją i mogący coś robić. Ikonki są elementami nieruchomymi, widżety mogą natomiast na bieżąco przekazywać użytkownikowi przydatne informacje. Przykładowo: widżet z zegarkiem wyświetla czas, a przez dotknięcie tego elementu uruchamiasz aplikację **Zegar** i otrzymujesz dostęp do pełnego zestawu funkcji.

Przełączanie się między aplikacjami

Wiesz już, że za pomocą przycisku „Home" możesz powrócić na pulpit systemu Android z dowolnej aplikacji. Pamiętaj: jeśli nie widzisz ekranu danej aplikacji, nie oznacza to, że uruchomiony wcześniej program zakończył działanie. Na tablecie da się uruchomić wiele aplikacji jednocześnie – warto zatem poznać wygodny sposób przełączania się między nimi.

1 Aby potrenować przełączanie się między aplikacjami, uruchom kilka programów. Wskaż ikonę jakiejś aplikacji, po jej uruchomieniu wciśnij „Home" (powrócisz na ekran główny). Następnie wybierz inną ikonę, a gdy program się włączy, ponownie użyj przycisku „Home". Po parokrotnym powtórzeniu tej operacji będziesz miał kilka uruchomionych aplikacji.

2 Do przełączania się między ekranami uruchomionych programów służy tzw. przycisk ostatnio otwartych aplikacji – oznaczony kwadratem, zazwyczaj umieszczony po prawej stronie przycisku „Home". Znajdź go.

3 Kiedy naciśniesz przycisk ostatnio dodanych aplikacji, na ekranie zobaczysz stos miniatur ekranów aktywnych programów. Przeciągając palcem po ekranie w kierunku góra–dół, przesuwaj ten stos i odsłaniaj poszczególne elementy.

4 Po wskazaniu konkretnej miniatury ekran danego programu wyświetli się na pierwszym planie.

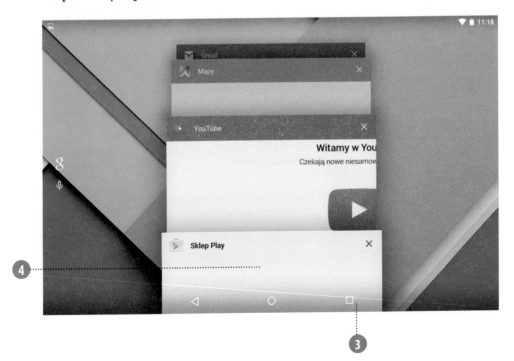

Zamykanie aplikacji

Każdy program uruchomiony na tablecie zajmuje część pamięci urządzenia. Co ważne, pamięć ta pozostaje zajęta również wtedy, gdy zastąpisz ekran danej aplikacji ekranem głównym (np. po naciśnięciu przycisku „Home"). Zbyt duża liczba jednocześnie włączonych programów może mieć zauważalny wpływ na szybkość działania sprzętu i komfort korzystania z aplikacji. Aby tego uniknąć, warto wiedzieć, jak zamknąć niepotrzebne już programy i tym samym zwolnić zajmowaną przez nie pamięć.

1 Najszybszym sposobem na wyłączenie wcześniej uruchomionej aplikacji jest użycie znanego ci już przycisku ostatnio otwartych aplikacji (opisywanego w poprzedniej sekcji).

2 Po wciśnięciu tego przycisku zobaczysz na ekranie listę miniatur ekranów aktywnych aplikacji. Zwróć uwagę na symbol **X**, znajdujący się w prawym górnym rogu każdej miniatury. Jego dotknięcie prowadzi do zamknięcia programu i zwolnienia zajmowanej przez niego pamięci.

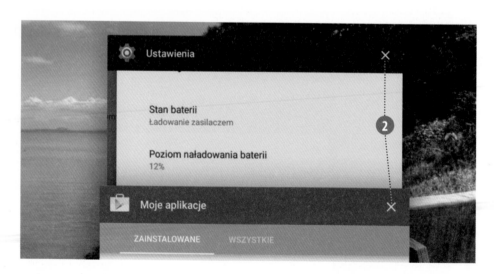

> **WAŻNE**
>
> Zamknięcie aplikacji nie oznacza jej usunięcia z tabletu. Zamykany program jest jedynie kasowany z tymczasowej pamięci, dzięki czemu mogą ją wykorzystywać inne aplikacje. Dowolny zamknięty program możesz w każdej chwili ponownie uruchomić przez dotknięcie jego ikonki.

2. Rozmieszczenie aplikacji i widżetów na ekranie

Pulpit systemu Android to dość duża przestrzeń na ekranie tabletu – możesz tam umieszczać ikonki najbardziej przydatnych aplikacji i ciekawe widżety. Z poniższej instrukcji dowiesz się, jak to zrobić.

1. Wywołaj ekran aplikacji dostępnych w twoim tablecie: wskaż przycisk menu aplikacji, widoczny w środku panelu ikon funkcyjnych na ekranie głównym Androida.

2. Aby przenieść ikonkę wybranej aplikacji na pulpit Androida, dotknij odpowiedniej ikonki, a następnie przytrzymaj na niej palec.

3. Po ok. 2 s widok na ekranie się zmieni – zostanie jakby oddalony, a ty zobaczysz obrysowany pulpit Androida wraz z jego aktualną zawartością. Wciąż nie odrywając palca od ikonki, przeciągnij ją w odpowiadające ci miejsce, a następnie zabierz palec z ekranu. Ikona aplikacji zostanie umieszczona na pulpicie.

> **WAŻNE**
>
> Pulpit systemu Android na tablecie składa się tak naprawdę nie z jednego, lecz z kilku ekranów. Przełączasz się między nimi, przesuwając palec po ekranie w kierunku lewo–prawo. Standardowo cały pulpit to aż pięć ekranów, na których możesz umieszczać ikonki aplikacji czy widżety.

57

4 Jeżeli uznasz, że lokalizacja ikonki na pulpicie ci nie odpowiada, możesz ją łatwo przenieść w inne miejsce ekranu głównego. Po prostu dotknij ikonki i przytrzymaj na niej palec (to ważne, bo samo dotknięcie prowadzi do uruchomienia programu). Po chwili ikonka „odlepi się" od ekranu i będziesz mógł przenieść ją palcem w nowe miejsce.

WSKAZÓWKA

Jeśli przybliżysz ikonkę do krawędzi ekranu, spowodujesz zmianę ekranu pulpitu. W ten sposób możesz przemieszczać ikonki między dostępnymi ekranami.

5 Kiedy chcesz umieścić na pulpicie jakiś widżet, postępuj identycznie jak w przypadku ikony programu. Najpierw wywołaj ekran aplikacji, a następnie przeciągnij palcem kolejne ekrany, by dostać się do ekranów z widżetami.

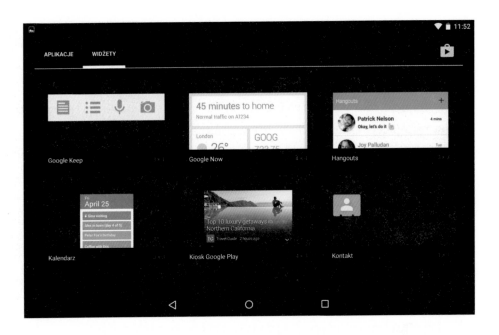

6 Teraz dotknij miniatury wybranego widżetu i przytrzymaj na niej palec. Podobnie jak w przypadku ikon aplikacji, zobaczysz oddalony widok pulpitu. Teraz możesz przenieść wybrany widżet w pasujące ci miejsce na ekranie głównym Androida.

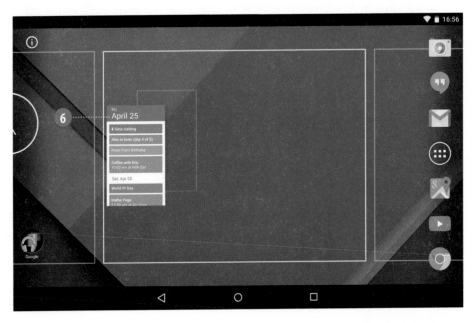

7 Położenie widżetów na pulpicie zmieniasz tak samo, jak zmieniałeś lokalizację ikonek aplikacji (patrz punkt 4).

8 Jeżeli uznasz, że konkretny widżet czy ikona aplikacji nie są ci już potrzebne na pulpicie, możesz je łatwo usunąć. Wskaż obiekt do usunięcia i przytrzymaj na nim palec, a następnie – gdy wybrany element „odlepi się" od ekranu – przenieś go nad znak **X** w lewym górnym rogu ekranu głównego Androida.

WAŻNE

Obiekt usuwany w ten sposób znika jedynie z pulpitu Androida. Nie jest natomiast kasowany z systemu.

---

3. Instalowanie i usuwanie aplikacji

Zestaw aplikacji standardowo instalowanych razem z systemem Android może ci się wydawać dość pokaźny. Jednak prawdziwą siłą tej platformy jest liczba programów dostępnych w sklepie Google Play, wyrażana już w milionach. Z tego podrozdziału dowiesz się, jak instalować nowe aplikacje ze sklepu Google Play, a także jak usuwać niepotrzebne programy z tabletu.

Instalowanie aplikacji

Poniżej znajdziesz opis najbezpieczniejszego sposobu instalowania aplikacji – instalowany program pochodzi z zasobów oryginalnego sklepu Google Play. Pamiętaj, że aby zainstalować nowe aplikacje, musisz mieć połączenie z internetem.

1 Uaktywnij ekran tabletu. Następnie na pulpicie Androida wskaż ikonę **Sklep Play**.

2 Wyświetli się menu główne sklepu Google Play. Spośród pasków widocznych w górnej części wybierz **Aplikacje**.

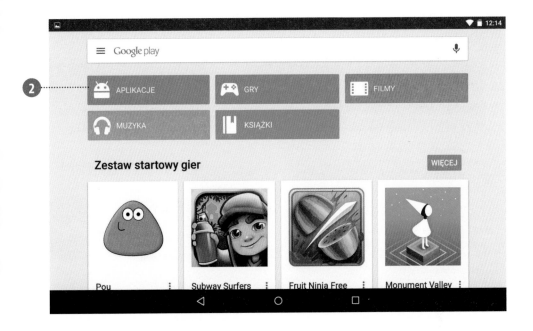

3 Na kolejnym ekranie zobaczysz kilka proponowanych aplikacji. W górnej części znajduje się menu dające dostęp do różnych zestawień (m.in. „Najlepsze aplikacje", „Aplikacje zyskujące popularność" itp.). Możesz także wyświetlić kategorie programów – w tym celu wskaż napis **Kategorie**.

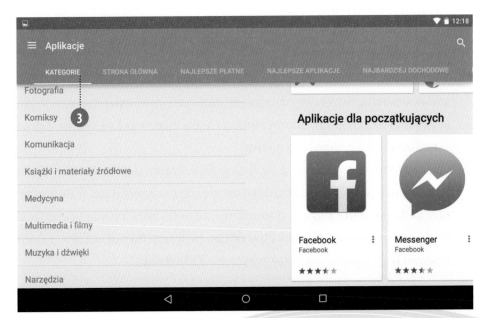

61

4 Wybierz widok kategorii, a potem kategorię, która cię interesuje, np. **Medycyna**.

5 Na ekranie wyświetlą się aplikacje z kategorii **Medycyna** i podkategorii **Najlepsze płatne**. Ponieważ jeszcze nie poznałeś metod płatności za programy (niezbędne informacje znajdziesz w dodatku poświęconym sklepowi Google Play), powinieneś wybrać aplikację bezpłatną. W górnej części ekranu wskaż więc napis **Najlepsze aplikacje**.

6 Ponownie zobaczysz szereg aplikacji, ale przy niektórych nazwach nie będzie widoczna cena. Brak ceny oznacza, że dany program jest darmowy. Wybierz jedną z aplikacji – np. zaprezentowany na ilustracji **Leksykon Zdrowia** – wskazując jej symbol lub nazwę.

7 Na kolejnym ekranie pojawią się szczegółowe informacje na temat programu. Przeczytasz jego krótki opis, dowiesz się, ile razy został już pobrany przez użytkowników urządzeń z systemem Android i jaką średnią ocenę (w skali od 0 do 5) od nich otrzymał. Aby dodać program do puli aplikacji zainstalowanych na tablecie, dotknij przycisku **Zainstaluj**.

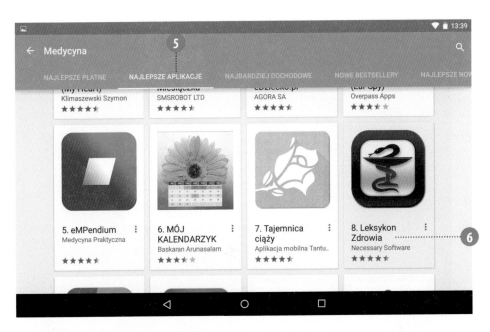

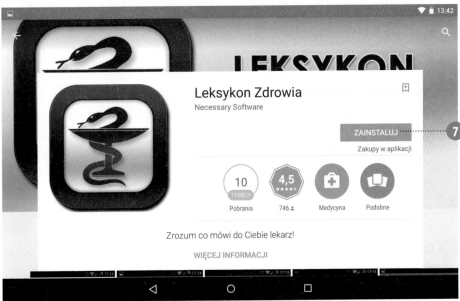

8. Wyświetlą się informacje dotyczące uprawnień wymaganych przez aplikację. Aby kontynuować instalację, wybierz polecenie **Akceptuję**.

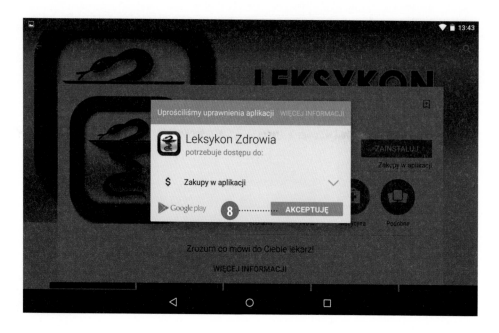

> **WAŻNE**
>
> Aby poprawnie działać, wiele aplikacji potrzebuje dostępu do określonych funkcji twojego tabletu. Nic dziwnego, że program do przetwarzania zdjęć wymaga dostępu do fotografii zapisanych w pamięci urządzenia – takie uprawnienia są logiczne i należy je zaakceptować. Może się jednak zdarzyć, że wybierzesz prosty program, który podczas instalacji będzie się domagać dostępu do prywatnych obszarów, np. do książki teleadresowej. Wówczas lepiej zrezygnuj z aplikacji żądającej nadmiernych uprawnień i zamiast napisu **Akceptuję** wciśnij przycisk powrotu.

9 Po instalacji programu w miejscu dotychczas zajmowanym przez przycisk **Zainstaluj** zobaczysz dwa przyciski: **Odinstaluj** (a) i **Otwórz** (b). Dzięki opcji **Otwórz** możesz uruchomić świeżo zainstalowaną aplikację bezpośrednio ze sklepu Google Play. Oczywiście znajdziesz ją również – w postaci ikony – na ekranie wszystkich aplikacji w twoim tablecie.

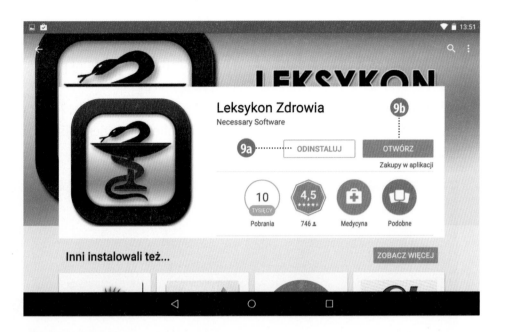

WSKAZÓWKA

Jeśli znasz nazwę programu, który chcesz zainstalować, to najszybciej dostaniesz się do niego za pomocą wyszukiwarki dostępnej w sklepie Google Play. Po uruchomieniu aplikacji **Sklep Play** dotknij lupki, widocznej w prawym górnym rogu ekranu. Następnie za pomocą klawiatury ekranowej wpisz nazwę interesującego cię programu. Po chwili wyświetlą się wyniki wyszukiwania, wśród których odnajdziesz potrzebną aplikację.

Usuwanie aplikacji

Tablet oferuje niezwykłe możliwości, ale mimo olbrzymiego potencjału jest urządzeniem o skończonych zasobach. Nie sposób zainstalować jednocześnie nawet ułamka wszystkich aplikacji dostępnych w sklepie Google Play. Dlatego warto wiedzieć, jak definitywnie pozbyć się z urządzenia niepotrzebnego programu, by zrobić miejsce dla kolejnego.

65

1 Na ekranie głównym Androida naciśnij przycisk aktywujący ekran aplikacji.

2 Na ekranie pokazującym zainstalowane aplikacje dotknij ikonki programu, którego chcesz się pozbyć z tabletu, i przytrzymaj palec.

3 W górnej części ekranu – po lewej stronie – pojawi się symbol kosza na śmieci. Nie odrywając palca, przeciągnij ikonkę usuwanej aplikacji nad kosz na śmieci.

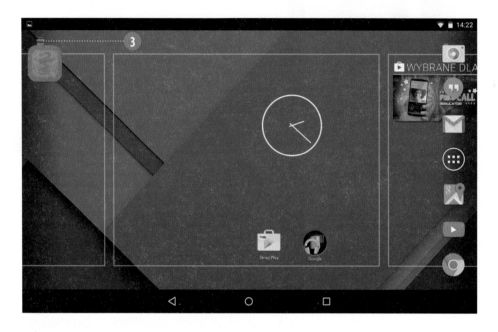

4 Tablet wyświetli pytanie, czy na pewno chcesz odinstalować daną aplikację. Potwierdź chęć usunięcia, wskazując napis **OK**.

4. Aktualizowanie aplikacji – to ważne

Dzięki aktualizowaniu aplikacji możesz zawsze korzystać z ich najnowszych wersji. Proces aktualizacji dotyczy nie tylko programów, lecz także systemu operacyjnego Android. To trochę tak, jakby produkt, który kupiłeś, był automatycznie wymieniany na nowszy po pojawieniu się nowego modelu na rynku. Aktualizacje są tym ważniejsze, że dzięki nim użytkownik jest lepiej chroniony przed zagrożeniami wykorzystującymi wykryte błędy w aplikacjach. Kolejne wersje zawierają coraz mniej potencjalnie niebezpiecznych błędów. W najnowszych wersjach Androida proces aktualizacji oprogramowania przebiega niemal automatycznie. Z niniejszego podrozdziału dowiesz się, jak sprawdzać ustawienia aktualizacji. Pamiętaj, że tablet musi mieć połączenie z internetem.

1 Wywołaj ekran **Ustawienia**, a następnie z grupy **System** (a) wybierz **Informacje o tablecie** (b).

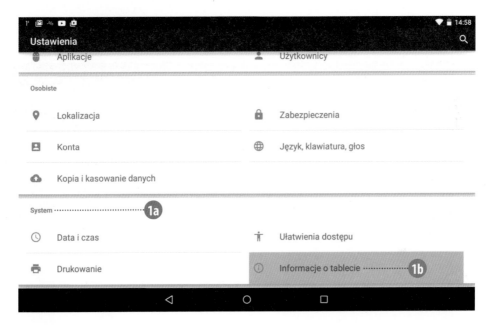

2 Na kolejnym ekranie wskaż napis **Aktualizacje systemu**, widoczny na szczycie wyświetlanej listy ustawień.

3 Pojawi się ekran zawierający informacje na temat stanu aktualności systemu Android i terminu ostatniego sprawdzenia aktualizacji. Widoczne jest również polecenie **Sprawdź aktualizację**, które umożliwia natychmiastową kontrolę dostępności nowszej wersji oprogramowania systemowego. Jednak – jak już wiesz – w nowych wersjach Androida proces aktualizacji systemu przebiega automatycznie.

67

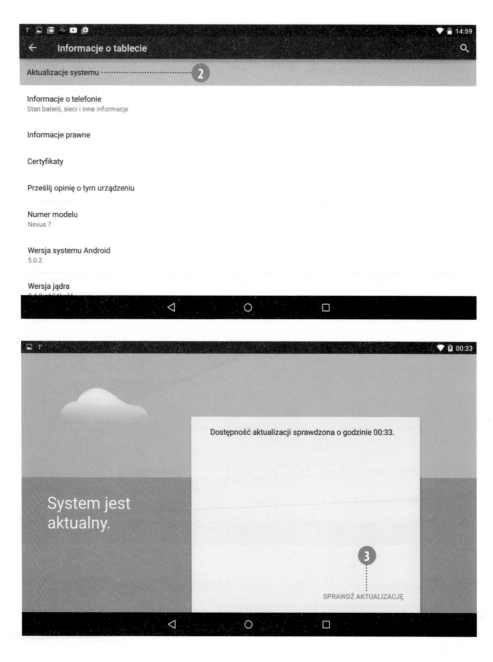

4 Informacje o dostępnych aktualizacjach programów otrzymujesz za pośrednictwem sklepu Google Play. Dotknij ikonki **Sklep Play**, widocznej na pulpicie Androida. Następnie – po uruchomieniu aplikacji – wskaż symbol bocznego menu, pokazany na ilustracji.

5 Z wysuniętego menu wybierz pozycję **Moje aplikacje**.

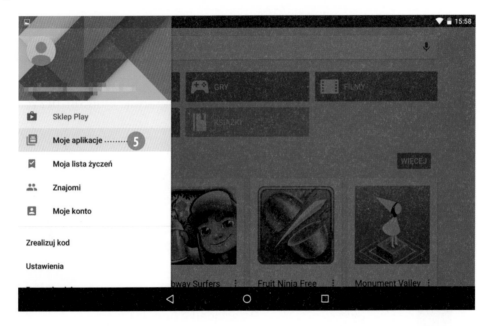

6 Na kolejnym ekranie wskaż napis **Wszystkie** (a); wyświetli się lista zainstalowanych aplikacji. Przy niektórych pozycjach może być widoczny napis
Aktualizacja (b). Sygnalizuje on, że jest już dostępna aktualizacja danego
programu, która nie została zainstalowana automatycznie, gdyż wymaga to
reakcji użytkownika. Wskaż palcem ten napis.

69

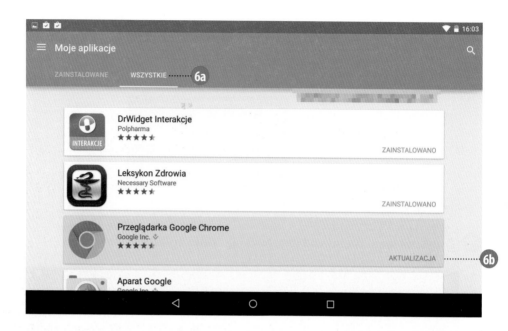

⑦ Pojawi się ekran z opisem wybranego programu. Dotknij przycisku **Aktualizuj**.

8 Podobnie jak w przypadku instalacji nowych programów, wyświetli się komunikat dotyczący ewentualnych dodatkowych uprawnień. Wskaż polecenie **Akceptuję**, by zainstalować aktualizację.

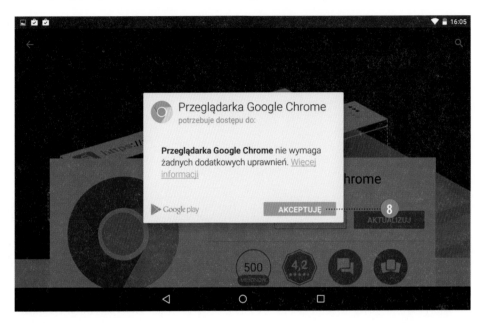

IV

Korzystanie z internetu

W tym rozdziale poznasz podstawy posługiwania się internetem za pomocą tabletu. Dowiesz się, jak korzystać z wbudowanej przeglądarki WWW, czyli aplikacji umożliwiającej dostęp do stron internetowych z całego świata. Nauczysz się efektywnie poszukiwać konkretnych informacji w sieci. Ponadto otrzymasz kilka przydatnych wskazówek, dzięki którym zwiększysz czytelność stron i komfort korzystania z zasobów internetowych za pomocą tabletu. W książce przyjęto założenie, że masz już pewne doświadczenie z siecią, wiesz, czym są strony WWW, i umiesz je przeglądać na komputerze stacjonarnym lub laptopie.

1. Przeglądarka stron WWW

Każdy tablet z systemem Android jest wyposażony w co najmniej jedną aplikację pełniącą funkcję przeglądarki WWW. Pamiętaj, żeby przed uruchomieniem przeglądarki sprawdzić, czy urządzenie jest połączone z internetem (szczegóły w rozdziale II). Poniższe wskazówki zakładają, że używasz przeglądarki o nazwie **Google Chrome**.

1 Uruchom przeglądarkę WWW **Google Chrome**. Jej ikonkę (z napisem **Chrome**) powinieneś znaleźć na pasku ikon funkcyjnych na pulpicie Androida. Jeżeli jej tam nie ma, z całą pewnością odnajdziesz ją na ekranie ze wszystkimi zainstalowanymi aplikacjami.

2 Po uruchomieniu przeglądarki **Google Chrome** w centralnej części ekranu powinieneś zobaczyć logo firmy Google (a). To standardowa strona powitalna, wyświetlana po pierwszym uruchomieniu programu – strona wyszukiwarki Google. W górnej części ekranu widać pasek adresowy; znajduje się w nim napis **Wyszukaj lub wpisz URL** (b). To tam wprowadzasz adres strony internetowej, którą chcesz odwiedzić, lub wpisujesz poszukiwaną frazę, pod kątem której chcesz przeszukać zasoby globalnej sieci.

WSKAZÓWKA

Jeżeli wcześniej korzystałeś z przeglądarki **Google Chrome** na komputerze stacjonarnym albo laptopie, wygląd wersji tabletowej z pewnością wyda ci się znajomy. Istnieje bowiem wiele elementów **Google Chrome** wspólnych dla wszystkich typów sprzętów pozwalających na uruchomienie tej przeglądarki.

3 Aby odwiedzić jakąś stronę WWW, wpisz jej adres w polu adresowym (a). Zatwierdź przyciskiem **Enter**. Ma on postać strzałki skierowanej w prawo umieszczonej wewnątrz koła i znajduje się po prawej stronie klawiatury ekranowej (b).

WSKAZÓWKA

Podczas wprowadzania jakiegokolwiek tekstu w polu adresowym (pełni ono również funkcję pola wyszukiwania) przeglądarka na bieżąco stara się odgadnąć twoje intencje. Wyświetla więc propozycje pasujące do tego, co wpisujesz. Jeżeli któraś z podpowiedzi okaże się trafna, wskaż ją palcem. Dzięki temu od razu zostaniesz przeniesiony do wybranej strony lub do wyników wyszukiwania.

4 Po zatwierdzeniu wprowadzonego adresu strony WWW w obszarze roboczym przeglądarki wyświetli się treść tej strony.

5 Treść witryn internetowych otwartych w przeglądarce WWW działającej na
tablecie przeglądasz podobnie jak na komputerze stacjonarnym czy laptopie.
Zamiast myszki i klawiatury używasz oczywiście palca, którym przesuwasz
po ekranie dotykowym, oraz – sporadycznie – klawiatury ekranowej.

6 Dotknięcie konkretnego elementu odpowiada kliknięciu w niego. Aby więc
np. przejść do strony ukrytej za odsyłaczem internetowym widocznym na
obecnie otwartej stronie, po prostu wskaż ten odsyłacz palcem.

7 Za pomocą gestów przeciągania w kierunku góra–dół przewijasz treść strony.
Niekiedy możliwe jest również przewijanie w kierunku lewo–prawo, ale to
już zależy od wydawcy danej strony internetowej.

2. Poszukiwanie informacji

Tablet – jako urządzenie umożliwiające dostęp do internetu, a jednocześnie poręczne – pozwala na szybkie znalezienie potrzebnych informacji,
których nieprzebrane wręcz zasoby są dostępne w globalnej sieci. Z tego

podrozdziału dowiesz się, jak poszukiwać konkretnych treści w internecie i jakich narzędzi do tego użyć.

1 Uruchom przeglądarkę **Google Chrome**. W pasku adresowym nie wpisuj pełnego adresu strony WWW, lecz wprowadź wyszukiwaną frazę, np. słowo „sanatorium".

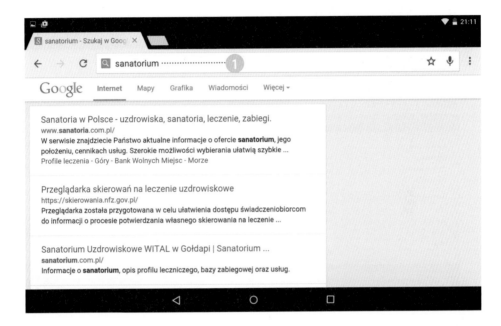

WSKAZÓWKA

Pamiętaj o automatycznych podpowiedziach wyświetlanych w trakcie wprowadzania tekstu w polu wyszukiwania. W podanym przykładzie wystarczy wpisać pierwsze cztery znaki słowa „sanatorium", by przeglądarka zaproponowała właściwy wyraz. Aby wprowadzić go w pole wyszukiwania, wystarczy wskazać palcem podpowiedź z listy propozycji.

2 Po zatwierdzeniu wprowadzonego słowa przeglądarka wyśle je do internetowej wyszukiwarki Google. Po chwili otrzymasz listę wyników pasujących do wyszukiwanej frazy. W podanym przykładzie mogą to być np. serwisy związane z leczeniem uzdrowiskowym, strony internetowe różnych sana-

toriów albo witryny WWW zawierające kompleksowe informacje na temat różnych sanatoriów w Polsce czy na całym świecie.

③ Każdy wynik jest wyświetlany w postaci odsyłacza internetowego (potoczna nazwa odsyłacza to „link"). Wskazanie odsyłacza skutkuje wyświetleniem strony internetowej, do której on kierował.

WSKAZÓWKA

Google Chrome (podobnie jak wiele innych przeglądarek WWW) pozwala na jednoczesne przeglądanie wielu stron. Każda z wczytanych stron jest wtedy wyświetlana w odrębnej karcie. Rozwiązanie to przydaje się zwłaszcza wtedy, gdy chcesz przejrzeć wyniki wyszukiwania. Na liście wyników przytrzymaj palec na konkretnym odsyłaczu, a następnie w ramce, która się wyświetli, wskaż polecenie **Otwórz w nowej karcie**. W górnej części ekranu pojawi się nowa karta przeglądarki – zawierająca treść strony, do której kierował wskazany przez ciebie odsyłacz.

4 Zwróć uwagę na polecenia wyświetlane nad listą wyników wyszukiwania, obok logo firmy Google. Standardowo jest tam zaznaczone polecenie **Internet** (a). Oznacza to, że jako wyniki wyszukiwania otrzymujesz odsyłacze do stron internetowych wraz z krótkimi opisami tych stron. Jednak obok polecenia **Internet** widać jeszcze inne polecenia: **Mapy**, **Grafika** i **Wiadomości** (b).

5 Gdy wskażesz palcem polecenie **Mapy**, wyszukiwarka zaproponuje otworzenie map pasujących do twojego zapytania (w podanym przykładzie – do słowa „sanatorium") albo w przeglądarce **Google Chrome**, albo w aplikacji **Mapy** (a). Jeżeli nie jesteś pewien, którego z tych programów chcesz użyć, zaznacz dowolny, a następnie wybierz polecenie **Tylko raz** (b). Dzięki temu w przyszłości, gdy znów zechcesz wyszukiwać mapy, będziesz mógł wybrać drugą z proponowanych aplikacji.

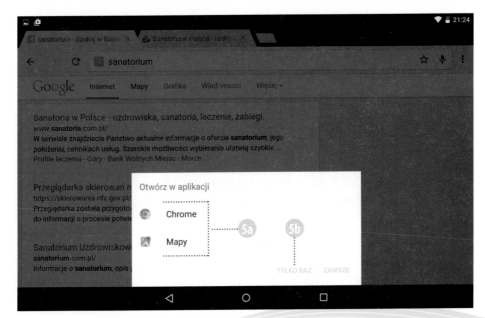

79

Przeszukiwanie map jest zalecane jedynie w sytuacji, gdy poszukujesz konkretnego miejsca – znasz adres, który chcesz odnaleźć na mapie, albo interesuje cię jakiś niepowtarzalny obiekt turystyczny, np. Statua Wolności. Przeszukiwanie map pod kątem fraz niezwiązanych bezpośrednio z konkretną lokalizacją nie ma sensu. Przykładowo, jeśli chcesz skorzystać z map, doprecyzuj szukane słowo nazwą miejscowości: zamiast „mechanik" wpisz „mechanik Łódź". Dzięki temu na mapie, która wyświetli się jako wynik wyszukiwania, zobaczysz naniesione lokalizacje mechaników świadczących usługi na terenie Łodzi.

6 Po wybraniu polecenia **Grafika** w wynikach wyszukiwania zamiast odnośników do stron internetowych pojawią się miniatury fotografii pasujących do twojego zapytania. Każdą miniaturę możesz obejrzeć dokładniej – w tym celu wskaż ją palcem.

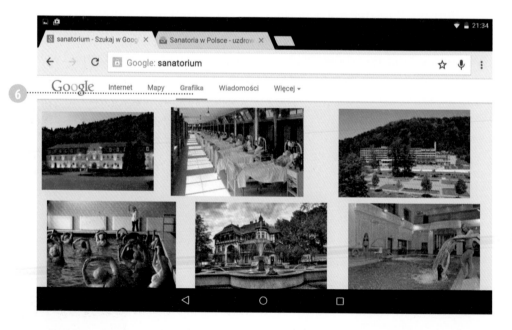

7 Z kolei polecenie **Wiadomości** filtruje wyniki wyszukiwania w taki sposób, że jako rezultat otrzymasz publikacje prasowe związane z wprowadzonym przez ciebie słowem czy zdaniem.

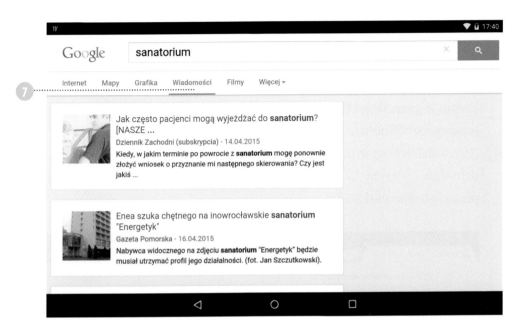

Każdy tablet z systemem Android oferuje funkcję wyszukiwania głosowego. Aby z niej skorzystać, dotknij symbolu mikrofonu, widocznego na pasku adresowym przeglądarki WWW. Na ekranie pojawi się ramka z symbolem mikrofonu i napisem **Mów teraz**. Zgodnie z tym poleceniem po prostu wypowiedz głośno słowo lub frazę, pod kątem których chcesz przeszukać zasoby internetu. To zdecydowanie wygodniejsze od pracochłonnego wprowadzania tekstu za pomocą klawiatury ekranowej. Wypróbuj to!

3. Zakładki i historia

Z przeglądarkami WWW nierozerwalnie wiążą się dwa mechanizmy ułatwiające korzystanie z olbrzymich zasobów internetowych. Chodzi o system zakładek i zapamiętywanie odwiedzonych witryn, czyli historię stron WWW. Poniżej znajdziesz wskazówki dotyczące tego, jak efektywnie korzystać z wymienionych udogodnień na tablecie.

Funkcja zakładek pozwala niejako zapamiętać interesujące cię strony, dzięki czemu w przyszłości łatwiej ci będzie je odnaleźć – bez potrzeby używania wyszukiwarki internetowej.

1 Aby dodać ważną stronę WWW do zakładek przeglądarki, podczas odwiedzin danej witryny WWW wskaż palcem symbol gwiazdki, widoczny po prawej stronie paska adresowego.

2 Wyświetli się ramka **Dodaj zakładkę**. Zawartość niemal każdego pola w tej ramce możesz zmieniać. Pole **Nazwa** pozwala zdefiniować nazwę, pod jaką strona będzie widoczna w spisie zakładek. Nazwa zakładki jest tworzona przez system.

3 Pole **Adres URL** przechowuje adres witryny, którą chcesz dodać do zakładek. Ważne: to pole powinno pozostać bez zmian.

4 Pole **Folder** pozwala wybrać miejsce (folder), w którym zostanie zapisana dodawana zakładka. Jeżeli chcesz zmienić proponowany folder na inny, wskaż palcem jego nazwę. Wyświetli się kolejna ramka – będziesz mógł w niej wskazać inny folder lub utworzyć nowy.

5 Aby dodać nową zakładkę, wybierz polecenie **Zapisz**, widoczne w opisywanej ramce z parametrami dodawanej zakładki.

6 Po zapisaniu zakładki symbol gwiazdki na pasku adresowym zostanie wypełniony. Oznacza to, że oglądana witryna jest już dodana do zakładek.

7 Gdy w przyszłości będziesz chciał otworzyć stronę, którą wcześniej dodałeś do zakładek, po uruchomieniu przeglądarki rozwiń jej menu główne: dotknij symbolu z trzema kropkami, widocznego w prawym górnym rogu. Z rozwiniętego menu wybierz polecenie **Zakładki**.

83

8 Wyświetli się lista zakładek przechowywanych w przeglądarce. Odnajdź na niej dodaną wcześniej stronę i wskaż palcem nazwę zakładki, by otworzyć w przeglądarce stronę WWW.

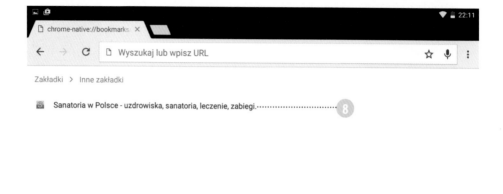

CIEKAWOSTKA

Google Chrome przechowuje nie tylko zakładki, które dodasz na tablecie, lecz także wszystkie inne, które dodałeś do tej przeglądarki np. na komputerze stacjonarnym, laptopie lub smartfonie. Jest tylko jeden warunek: na wszystkich urządzeniach, za pomocą których będziesz korzystać z **Google Chrome** i dodawać zakładki prowadzące do stron WWW, musisz być zalogowany do swojego konta Google.

?

Korzystanie z historii odwiedzonych stron

Przeglądarka WWW na tablecie standardowo zapamiętuje adresy odwiedzanych przez ciebie stron internetowych. Kiedy więc zapomnisz, jaki adres miała interesująca strona, którą wcześniej przeglądałeś, ta użyteczna funkcja ułatwi ci powrót.

1 Aby dostać się do ekranu historii odwiedzonych stron WWW, musisz wywołać menu główne przeglądarki **Google Chrome**. Wiesz już, jak to zrobić (dla przypomnienia: użyj przycisku z trzema kropkami, widocznego po prawej stronie ekranu). Z rozwiniętego menu wybierz pozycję **Historia**.

2 Na ekranie przeglądarki otwarta zostanie strona **Historia**. Znajdziesz tam listę odwiedzonych stron WWW. Lista jest posortowana chronologicznie: na jej szczycie pojawiają się strony odwiedzone ostatnio, na dole – te odwiedzone dawniej.

WSKAZÓWKA

Dane historii odwiedzonych witryn możesz przeszukiwać podobnie jak zasoby internetowe. Na stronie historii dostępny jest panel wyszukiwania, oznaczony napisem **Przeszukaj historię**. To rozwiązanie okaże się przydatne np. wtedy, gdy będziesz pamiętać jakieś słowo związane z poszukiwaną stroną, ale nie uda ci się ustalić, kiedy ją odwiedziłeś.

85

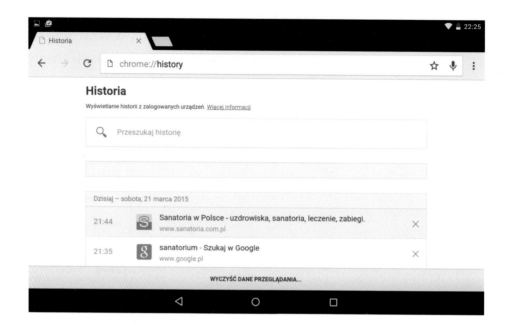

3) Zawartość listy przewijasz za pomocą dobrze ci już znanego gestu przeciągania w kierunku góra–dół. Aby wyświetlić stronę, której wpis znalazłeś
w historii, wskaż palcem wybraną pozycję na liście.

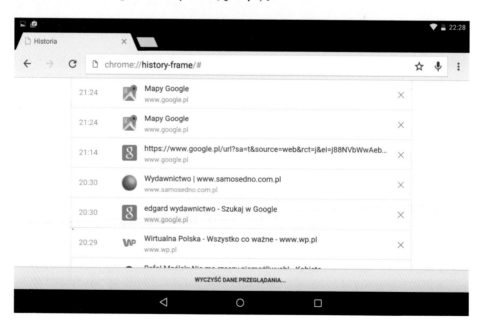

> **WSKAZÓWKA**
>
> Jeżeli jakaś strona była warta tego, by do niej wrócić i przeszukiwać w tym celu historię, to może warto dodać tę stronę do zakładek przeglądarki?

4 Po prawej stronie każdego wpisu w historii odwiedzanych stron znajduje się symbol **X**. Jego dotknięcie usuwa konkretny wpis z listy historii przeglądarki.

> **WAŻNE**
>
> Część osób uważa, że choć historia odwiedzanych stron bywa użyteczna (pomaga przypomnieć sobie przeglądane witryny), stanowi potencjalne zagrożenie dla prywatności użytkownika. Nie chcesz, by inna osoba, która skorzysta z twojego tabletu, mogła zobaczyć, na jakie strony WWW zaglądałeś? Jest na to sposób: możesz usunąć wszystkie dane związane z przeglądanymi wcześniej stronami. Wystarczy, że wskażesz polecenie **Wyczyść dane przeglądania...** znajdujące się u dołu strony historii.

4. Wielkość strony i wielkość liter

W rozdziale II poznałeś sposób na regulowanie wielkości czcionki w całym systemie Android. Przy tej okazji dowiedziałeś się, że niektóre aplikacje same zarządzają wielkością tekstu. Należy do nich przeglądarka internetowa. W przypadku odwiedzanych stron WWW sytuacja jest o tyle skomplikowana, że często to wydawcy decydują o rozmiarze czcionki, a tym samym – o czytelności przekazu. Nie jesteś jednak całkowicie bezradny, możesz samodzielnie poprawić czytelność tekstu w internecie. Jeżeli uważasz, że litery na stronach WWW są zbyt małe, zastosuj się do poniższych porad.

1 Uruchom przeglądarkę, a następnie wczytaj stronę WWW, na której czcionka jest twoim zdaniem za mała. Jako przykład posłuży tu strona główna serwisu www.sanatoria.com.pl.

2 Jako użytkownik tabletu z systemem Android i przeglądarki **Google Chrome** masz co najmniej dwa sposoby na poradzenie sobie z nieczytelnością stron WWW.

3 Metoda pierwsza, tymczasowa, bazuje na gestach rozciągania (przybliżania) i szczypania (oddalania). Jeżeli jakiś fragment, np. ramka z tekstem, jest zbyt mały i przez to nieczytelny, użyj gestu rozciągania – dany obszar strony się powiększy.

WSKAZÓWKA

Aby szybko oddalić widok strony po powiększeniu nieczytelnego fragmentu, możesz – zamiast używać gestu szczypania (oddalania) – dwukrotnie puknąć w ekran. Uważaj tylko, by przypadkowo nie wskazać jakiegoś odnośnika internetowego; skutkowałoby to wczytaniem treści strony, do której prowadził ten odnośnik.

④ Druga metoda polega na zmianie standardowych ustawień przeglądarki, tak by każda odwiedzana witryna prezentowała wyraźniejszy i większy tekst. Rozwiń menu główne przeglądarki **Google Chrome** i wybierz z niego pozycję **Ustawienia**.

5 Wyświetli się ekran **Ustawienia**. Przewiń listę opcji do grupy **Zaawansowane** (a), a następnie wskaż pozycję **Ułatwienia dostępu** (b).

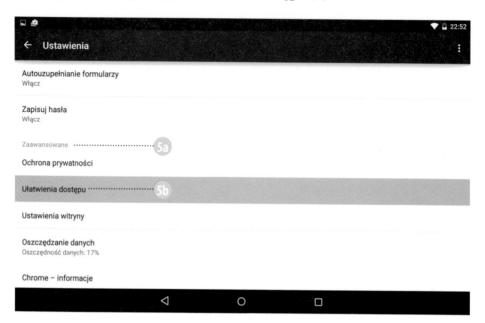

6 Na ekranie **Ułatwienia dostępu** zobaczysz suwak **Skalowanie tekstu**. Standardowo jest on ustawiony na wartość 100% – czyli tekst na przeglądanych stronach ma takie rozmiary, jakie ustawili ich wydawcy. Jeżeli w przypadku wielu witryn masz kłopoty z odczytem, zwiększ rozmiar tekstu, przesuwając suwak w prawo. Od tej pory dwukrotne puknięcie w akapit tekstu będzie go powiększać, a powtórne dwukrotne puknięcie – przywracać pierwotną wielkość czcionki.

Przeciągaj suwak, by umożliwić wygodne czytanie. Gdy dwukrotnie klikniesz akapit, tekst powiększy się co najmniej do tej wielkości.

Wymuś powiększenie
Zignoruj żądanie strony, gdy chce zapobiec powiększeniu widoku

V

Zdjęcia, wideo i dźwięk

Żaden tablet nie przypomina klasycznego aparatu fotograficznego, jednak każdy model dostępny na rynku ma co najmniej jedną kamerę, a najczęściej – dwie (przednią i tylną). Oznacza to, że za pomocą urządzenia możesz robić cyfrowe fotografie, a także nagrywać filmy czy rejestrować dźwięk. Tablet to zarazem wygodny, przenośny odtwarzacz zdjęć, filmów i muzyki – nie tylko tej nagranej przez ciebie, lecz także pochodzącej z innych źródeł. Z niniejszego rozdziału dowiesz się, jak rejestrować i odtwarzać zdjęcia, filmy i muzykę.

1. Robienie zdjęć tabletem

Jakość zdjęć zrobionych tabletem nie dorównuje tej, którą można uzyskać za pomocą profesjonalnych aparatów cyfrowych, ale często wystarcza sama możliwość uchwycenia ciekawego kadru.

Pierwsze zdjęcie

Oto, w jaki sposób szybko wykonać zdjęcie tabletem z systemem Android.

1 Uruchom tablet, a na pulpicie systemu Android wskaż ikonkę **Aparat**. Powinna być jednym ze standardowych elementów widocznych na ekranie głównym.

WSKAZÓWKA

Jeżeli ikonki **Aparat** nie ma na pulpicie, odnajdziesz ją na ekranie aplikacji. Program **Aparat** jest standardowo wbudowany w każdy tablet z Androidem i nie można go usunąć z systemu.

2 Na ekranie zobaczysz obraz aktualnie rejestrowany przez tylną kamerę tabletu, standardowo aktywną przy domyślnych ustawieniach programu **Aparat** (a). Oprócz tego widoczne będą symbole reprezentujące niektóre funkcje aparatu (ich zastosowanie poznasz w dalszej części rozdziału) (b).

3 Jeżeli trzymasz tablet w taki sposób, by dłuższa krawędź ekranu biegła poziomo, przycisk wyzwalający migawkę będzie widoczny z prawej strony ekranu (a). Jeśli zaś trzymasz urządzenie pionowo, szukaj tego przycisku na dole ekranu (b).

4 Aplikacja **Aparat** jest gotowa do rejestracji zdjęć bezpośrednio po uruchomieniu. Twoim zadaniem jest odpowiednie trzymanie tabletu w celu uchwycenia odpowiedniego kadru, a następnie – wskazanie symbolu z aparatem, pełniącego funkcję spustu migawki. Wszystkie parametry zdjęcia (ekspozycja, ostrość, czas naświetlania itp.) zostaną dopasowane automatycznie.

Wykonane zdjęcia są automatycznie zapisywane w pamięci tabletu. Z dalszej części rozdziału dowiesz się, jak je obejrzeć.

5 Wykonanie fotografii jest sygnalizowane dźwiękowo i przez rozjaśnienie ekranu na ułamek sekundy. Aby zrobić kolejne zdjęcie, po prostu znów dotknij przycisku migawki.

Przełączanie między kamerą tylną a przednią

Jeżeli twój tablet ma dwie kamery, sprawdź, jak się między nimi przełączać.

1 Uruchom w znany ci już sposób aplikację **Aparat**. Następnie wskaż na ekranie symbol zmiany kamery (taki jak na ilustracji).

Wygląd tego symbolu może się nieznacznie różnić w zależności od modelu tabletu. Jednak w przypadku urządzenia z dwiema kamerami symbol musi być dostępny z poziomu aplikacji **Aparat**. Zazwyczaj jest wyświetlany bezpośrednio na ekranie kadrowania zdjęcia.

2 Dotknięcie symbolu skutkuje zmianą kamery – na ekranie zobaczysz najprawdopodobniej samego siebie, czyli obraz rejestrowany przez przednią kamerę. Aby wykonać zdjęcie, postępuj w taki sam sposób jak podczas fotografowania za pomocą kamery tylnej – po prostu wskaż symbol wyzwalania migawki aparatu.

3 Powtórne dotknięcie symbolu zmiany kamery (może on wyglądać nieco inaczej niż wtedy, gdy aktywna była kamera tylna – patrz ilustracja) prowadzi do ponownego przełączenia się aplikacji **Aparat** na rejestrowanie obrazu z kamery tylnej.

Korzystanie z innych trybów fotografowania

Tryb pełnej automatyki jest na pewno wygodny, ale nie pozwala w 100 proc. wykorzystać możliwości aplikacji **Aparat** i sprzętu wbudowanego w tablet. Poniższe wskazówki pomogą ci uwolnić ten potencjał.

1. Uruchom aplikację **Aparat**. Obok przycisku migawki widoczne są trzy symbole (jeżeli ich nie ma, dotknij symbolu pionowego wielokropka w górnej części ekranu). Jeden z nich już poznałeś – to przełącznik zmiany kamery.

Kolejny symbol pozwala wyświetlić siatkę ułatwiającą kadrowanie. Powtórne dotknięcie tego elementu prowadzi do wyłączenia widoku siatki.

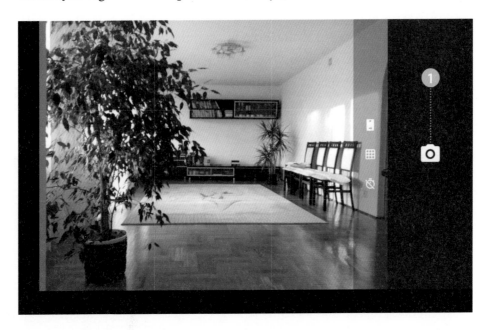

> **CIEKAWOSTKA**
>
> Siatka uaktywniana za pomocą opisywanego przycisku umożliwia łatwiejsze kadrowanie obrazu zgodnie z jedną z podstawowych zasad fotograficznej kompozycji – regułą trójpodziału.

(2) Kolejny symbol na ekranie aplikacji **Aparat**, ten obok przycisku wyzwalania migawki, reprezentuje samowyzwalacz. Dotknięcie symbolu skutkuje aktywacją 3-sekundowego samowyzwalacza, kolejne – włączeniem 10-sekundowego samowyzwalacza, a jeszcze jedno – wyłączeniem tej funkcji.

(3) Dostęp do dodatkowych trybów fotografowania uzyskasz, przeciągając palec od lewej krawędzi ekranu do środka. Wzdłuż lewej krawędzi wyświetli się spis trybów pracy programu **Aparat**. Możesz wybrać np. możliwość tworzenia zdjęć sferycznych lub ujęć panoramicznych bądź skorzystać z tzw. funkcji rozmycia soczewkowego.

(4) Gdy na ekranie wyświetla się menu wyboru trybów, w prawym górnym rogu ekranu aplikacji **Zdjęcia** widać symbol kółka zębatego (a). Gdy go dotkniesz, pojawi się ekran **Ustawienia**. Przez wybieranie poszczególnych opcji proponowanych na tym ekranie możesz modyfikować parametry zdjęć: zmieniać rozdzielczość (niezależnie dla każdej kamery) albo włączać tryb ręcznej ekspozycji (b).

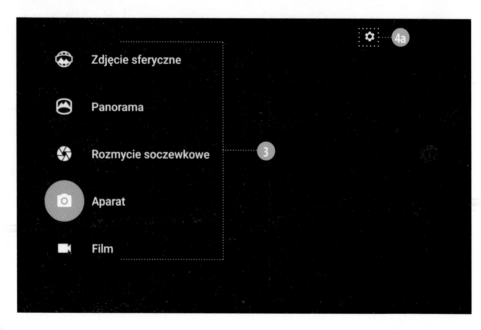

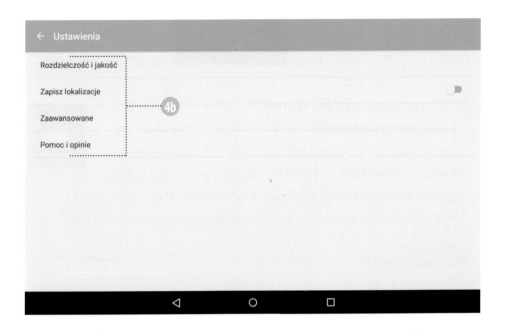

Wiesz już, jak wykonać ujęcie w trybie automatycznym, przełączyć aplikację **Aparat** na inny tryb fotografowania i modyfikować parametry zdjęć. Na łamach tej książki nie sposób przedstawić wszystkich niuansów fotografowania za pomocą tabletu. Ponieważ nic tak nie utrwala wiedzy jak praktyka, warto samodzielnie poeksperymentować.

2. Nagrywanie wideo

Jak mogłeś się przekonać podczas lektury poprzedniego podrozdziału, robienie cyfrowych zdjęć tabletem jest bardzo proste. Równie łatwe okazuje się kręcenie filmów.

1. Wykorzystujesz aplikację **Aparat**, tak jak podczas robienia zdjęć cyfrowych.
2. Program ten po uruchomieniu standardowo działa w automatycznym trybie rejestracji fotografii. Zmianę trybu na umożliwiający rejestrację wideo uzyskasz przez wskazanie odpowiedniej pozycji z bocznego menu trybów. Trzymając tablet poziomo, przesuń palec od lewej krawędzi ekranu do środka, a następnie z wyświetlonego menu wybierz pozycję **Film**.

66

3 Ekran aplikacji wygląda niemal identycznie jak w przypadku fotografowania w trybie automatycznym. Większą
część zajmuje podgląd obrazu rejestrowanego przez
kamerę, ale widać też charakterystyczny przycisk z symbolem kamery, uruchamiający rejestrację wideo. Aby
rozpocząć nagrywanie filmu, dotknij tego symbolu.

> **WSKAZÓWKA**
>
> Również w trybie rejestracji wideo możesz przełączać się między kamerą
> przednią a tylną – w dokładnie taki sam sposób jak podczas fotografo-
> wania w trybie automatycznym.

4 W trakcie rejestracji wideo na ekranie – oprócz podglądu obrazu – widoczne
są dwa ważne elementy: licznik czasu nagrania (a) i przycisk zatrzymujący
rejestrację (z prawej strony) (b).

WAŻNE

Pamiętaj, że pliki wideo zajmują w pamięci tabletu znacznie więcej miejsca niż fotografie cyfrowe. Jeżeli planujesz często nagrywać filmy, a twój sprzęt ma złącze kart microSD, zakup karty o odpowiednio dużej pojemności pozwoli ci zachować więcej nagrań. Starsze nagrania warto przenosić z tabletu na komputer – szczegółowe wskazówki znajdziesz w rozdziale VII.

3. Nagrywanie dźwięku

Tablet jest także wyposażony w mikrofon, a tym samym umożliwia rejestrację dźwięku. Funkcja ta przydaje się np. do nagrywania różnych wykładów czy zebrań. Poniższe wskazówki pozwolą ci przekształcić tablet w cyfrowy dyktafon za pomocą odpowiedniego programu.

1 Zacznij od pobrania i zainstalowania aplikacji umożliwiającej rejestrację dźwięku. W niniejszej sekcji posłużono się programem o nazwie **Dyktafon – nagrywanie rozmów**.

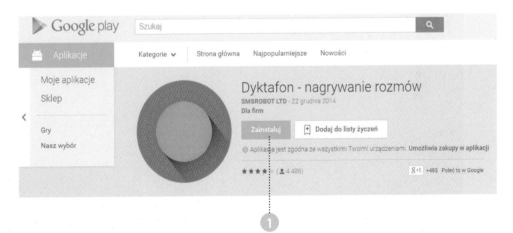

WSKAZÓWKA

Szczegółowe instrukcje dotyczące instalowania aplikacji na tablecie znajdziesz w rozdziale III. W sklepie Google Play dostępne są liczne programy służące do nagrywania dźwięku, ale większość z nich działa podobnie do przedstawionej tu przykładowej aplikacji **Dyktafon – nagrywanie rozmów**. W niektórych tabletach odpowiedni program do nagrywania dźwięku jest już wbudowany w system; zależy to od producenta sprzętu. W standardowej konfiguracji Androida dla tabletów takiej aplikacji jednak nie ma, stąd konieczność instalacji.

2 Po zainstalowaniu wybranego tu programu uruchom go, wskazując ikonkę **voiceX**, umieszczoną na ekranie głównym (pulpicie) Androida.

3 Wyświetli się ekran aplikacji do nagrywania dźwięku. Aby rozpocząć rejestrowanie, naciśnij przycisk **Nagrywanie**.

4 W trakcie nagrywania na ekranie widać licznik czasu (a). W miejscu dotych-czas zajmowanym przez przycisk inicjujący rejestrację znajdziesz przy-cisk **Pauza**, umożliwiający wstrzymanie nagrania (b), a po prawej stronie

– przycisk **Zakończ**, zatrzymujący nagrywanie i zapisujący plik dźwiękowy w pamięci urządzenia (c).

4. Odtwarzanie zdjęć

Każdy tablet z systemem Android jest standardowo wyposażony w aplikację umożliwiającą przeglądanie fotografii zapisanych w pamięci. Poniżej zaprezentowano wskazówki dotyczące wbudowanego programu o nazwie **Zdjęcia**.

Ikonka aplikacji **Zdjęcia** powinna się znajdować na pulpicie systemu Android, w folderze **Google**. Aby uruchomić program, dotknij ikonki **Google**, a następnie w ramce (oknie folderu), która się otworzy, wskaż **Zdjęcia**. Jeżeli aplikacji **Zdjęcia** nie ma na pulpicie Androida, znajdziesz ją na ekranie aplikacji.

2 Wyświetlą się miniaturki zdjęć zapisanych w pamięci urządzenia. Miniatury są standardowo ułożone w porządku chronologicznym (najnowsze zdjęcia znajdziesz na górze). Aby przewijać ten zbiór, przesuwaj palcem po ekranie w kierunku góra–dół.

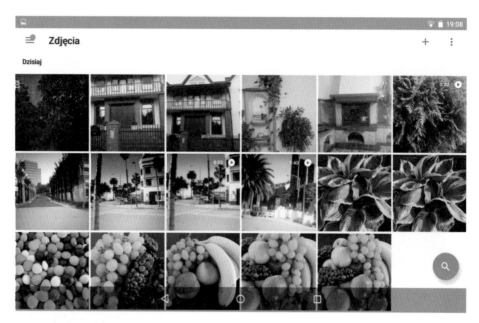

WSKAZÓWKA

W przypadku dużej liczby zdjęć możesz szybko przewijać miniatury za pomocą suwaka po prawej stronie ekranu aplikacji **Zdjęcia**. Suwak ten widać tylko w trakcie przesuwania widoku miniatur.

---

3 Kiedy chcesz obejrzeć konkretne zdjęcie, wskaż palcem jego miniaturkę. Fotografia zostanie wyświetlona na całym ekranie tabletu. Jeżeli chcesz przeglądać zdjęcia w trybie pełnoekranowym, przesuwaj palcem w kierunku lewo–prawo.

4 Z trybu pełnoekranowego podglądu zdjęć do trybu miniatur wrócisz przez dotknięcie strzałki skierowanej w lewo, widocznej w lewym górnym rogu.

W trakcie oglądania fotografii w trybie pełnoekranowym w dolnej części ekranu aplikacji **Zdjęcia** wyświetlają się trzy symbole. Umożliwiają one kolejno (od lewej): edycję zdjęcia, udostępnienie go innej aplikacji lub wysłanie do niej (mowa np. o poczcie elektronicznej) i usunięcie aktualnie oglądanej fotografii. Opisanie wszystkich funkcji edycyjnych dostępnych w programie **Zdjęcia** wykracza poza ramy tej książki, niemniej warto je wypróbować – pozwalają w ciekawy sposób modyfikować zdjęcia. Uwolnij więc swoją kreatywność i eksperymentuj.

W trybie pełnoekranowego wyświetlania zdjęcia wypróbuj gesty rozpychania i szczypania – w ten sposób powiększysz i zmniejszysz oglądaną fotografię. Po powiększeniu zdjęcia przesuwanie palcem po ekranie nie powoduje już przejścia do kolejnych plików, lecz pozwala przesuwać kadr aktualnie oglądanego obrazu.

105

5. Odtwarzanie filmów

Jak już wiesz, tablet umożliwia również rejestrację wideo. Logiczne więc, że użytkownik musi mieć do dyspozycji aplikację pozwalającą na odtworzenie wykonanych nagrań. Jest to bardzo proste.

1 W celu odtworzenia nagrań wideo zapisanych w pamięci tabletu można posłużyć się aplikacją **Zdjęcia**, omówioną w poprzednim podrozdziale.

2 Po uruchomieniu programu zobaczysz znany ci już widok miniatur zdjęć. Zwróć uwagę, że niektóre mają nałożony trójkątny symbol wpasowany w kółko – tak oznaczone są właśnie nagrania wideo.

3 Aby odtworzyć film, wystarczy dotknąć reprezentującej go miniaturki.

4 Aplikacja **Zdjęcia** przełączy się w tryb pełnoekranowy i wyświetli się pierwsza klatka nagrania wideo. Teraz dotknij symbolu odtwarzania, by uruchomić film.

5 W trakcie odtwarzania filmu w dolnej części ekranu widoczne są następujące elementy: suwak przewijania do tyłu i do przodu (a) oraz przycisk pauzy (b).

V Zdjęcia, wideo i dźwięk

Przedstawiona metoda pozwala odtworzyć zarówno własne nagrania, zarejestrowane przez kamerę tabletu, jak i filmy z innych źródeł, przeniesione do pamięci urządzenia np. z komputera (szczegóły dotyczące przenoszenia danych znajdziesz w rozdziale VII). Jeżeli chcesz obejrzeć filmy udostępniane np. w popularnym internetowym serwisie YouTube, użyj aplikacji **YouTube**, dostępnej w każdym tablecie z Androidem.

6. Odtwarzanie muzyki

Tablet doskonale sprawdza się również jako przenośne urządzenie do odtwarzania muzyki. Dzięki wbudowanemu gniazdku audio można do niego podłączyć nie tylko słuchawki, lecz także stacjonarny sprzęt muzyczny. Dzięki poniższym wskazówkom bez trudu odtworzysz muzykę na tablecie.

1 W folderze **Google**, widocznym bezpośrednio na pulpicie systemu Android, znajduje się m.in. ikonka **Muzyka Play**. Wskaż ikonę folderu, by go otworzyć, a następnie – ikonę **Muzyka Play**, by uruchomić aplikację do odtwarzania muzyki. Jeżeli ikonki **Muzyka Play** nie ma na ekranie głównym, znajdziesz ją na ekranie aplikacji.

Aby odtwarzanie muzyki stało się możliwe, w pamięci tabletu powinny się znaleźć jakieś utwory (wówczas przy ich odtwarzaniu nie jest potrzebny dostęp do internetu). Standardowo urządzenia z systemem Android są pozbawione plików muzycznych – żeby korzystać z tabletu jak z odtwarzacza muzycznego, należy przekopiować do niego pliki z muzyką. Informacje na temat przenoszenia plików do pamięci tabletu znajdziesz w rozdziale VII.

2 Gdy aplikacja **Muzyka Play** zostanie uruchomiona, zobaczysz planszę zachęcającą do skorzystania z usługi subskrypcyjnej **Google Muzyka Play**.

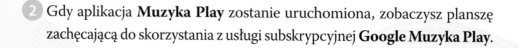

Wykupienie subskrypcji nie jest jednak konieczne do używania programu w roli odtwarzacza – dotknij więc przycisku **Użyj wersji standardowej**.

3 Wyświetli się ekran z krótkimi wskazówkami dotyczącymi różnych możliwości słuchania muzyki za pośrednictwem uruchomionej przez ciebie aplikacji. Wskaż przycisk **Gotowe**.

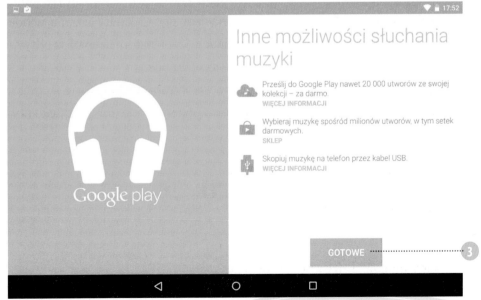

4 Na kolejnym ekranie, zatytułowanym **Listen Now**, oprócz powitalnego komunikatu powinieneś zobaczyć miniatury reprezentujące albumy muzyczne przechowywane w pamięci tabletu. Aby rozpocząć odtwarzanie, wskaż miniaturę wybranego albumu.

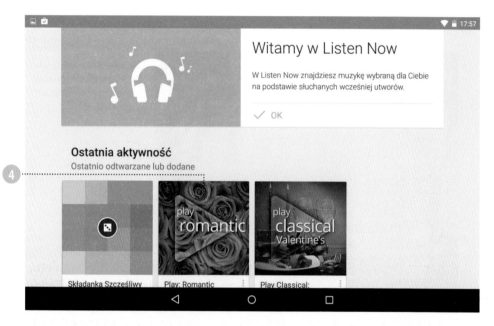

5 Teraz program wyświetli listę utworów zawartych w wybranym albumie. Jeżeli chcesz odtworzyć cały album, naciśnij przycisk odtwarzania, widoczny w prawym górnym rogu ekranu aplikacji. Jeżeli natomiast wolisz odtworzyć konkretny utwór z listy, po prostu wskaż go palcem.

6 W trakcie odtwarzania w dolnej części ekranu wyświetlane są przyciski kontrolne – umożliwiające przejście do poprzedniego lub kolejnego utworu – oraz przycisk pauzy.

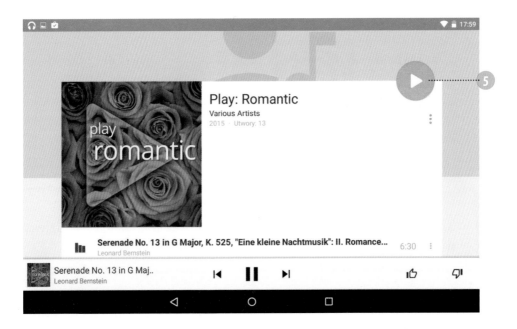

WAŻNE

Program **Muzyka Play** odtwarza piosenki zapisane w pamięci tabletu, ale nie obsługuje nagrań wykonanych za pomocą opisanej wyżej aplikacji **Dyktafon**. Do ich odtworzenia należy użyć tego samego programu, który posłużył do rejestracji dźwięku. Aby dotrzeć do listy nagrań, wystarczy na ekranie głównym aplikacji **Dyktafon** przesunąć palcem od prawej do lewej strony.

7. Radio na tablecie

Tablet może również pełnić funkcję odbiornika radiowego, choć nie w sensie dosłownym – nie ma bowiem anteny pozwalającej na odbiór klasycznych kanałów radiowych. Dostęp do interesujących cię audycji możesz uzyskać po zainstalowaniu stosownych aplikacji i połączeniu z internetem. Poniższy przykład prezentuje wykorzystanie tabletu jako odbiornika programów Polskiego Radia.

1 Uruchom aplikację **Sklep Play**, a następnie w polu wyszukiwania wpisz frazę „polskie radio". Na liście wyników znajdziesz program **Polskie Radio**. Zainstaluj go na tablecie.

WSKAZÓWKA

Szczegółowe instrukcje dotyczące instalowania aplikacji znajdziesz w rozdziale III.

Po uruchomieniu aplikacji **Polskie Radio** na ekranie wyświetli się plansza z podpowiedziami, które objaśniają znaczenie elementów widocznych na ekranie. Dotknięcie ekranu zamyka tę planszę.

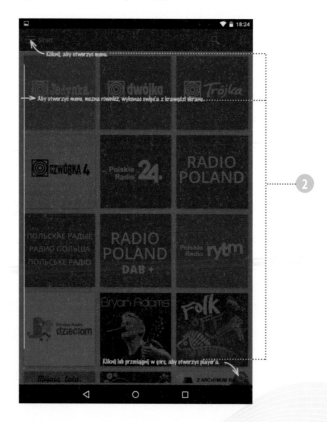

> **WAŻNE**
>
> Aplikacja **Polskie Radio** została przygotowana tak, że działa tylko w widoku pionowym. Trzymaj więc tablet pionowo. **!**

3 Poszczególne kanały Polskiego Radia i audycje tematyczne promowane przez twórców aplikacji są widoczne jako kafelki. Aby posłuchać wybranego kanału lub konkretnej audycji, należy wskazać palcem odpowiedni kafelek.

4 Wyświetli się lista audycji (w przypadku wyboru kanału) albo lista dostępnych nagrań (w przypadku wyboru audycji) (a). Przez dotknięcie symbolu odtwarzania, który znajdziesz w górnej części ekranu, uruchamiasz odsłuch kanału/audycji (b).

Polskie Radio to tylko jedna z licznych aplikacji radiowych i muzycznych dostępnych w sklepie Google Play. Swoje aplikacje oferuje również wiele komercyjnych krajowych stacji. Nic nie stoi na przeszkodzie, by wypróbować kilka programów i wybrać ten najbardziej ci odpowiadający.

?

VI
Komunikacja

Internet to globalna cyfrowa sieć, przez którą da się przesłać dowolną informację: tekst, głos, obraz. Wiesz już, że tablet może się połączyć z internetem, a to oznacza znaczne ułatwienia w komunikacji z rodziną i znajomymi z całego świata. Wiesz także, że tablet nie jest ekwiwalentem telefonu – nie nawiążesz za jego pomocą bezpośrednich połączeń, takich jak w przypadku telefonu stacjonarnego czy komórkowego. Jednak dzięki uniwersalności internetu oraz bogactwu dostępnych w nim usług i aplikacji za pomocą tabletu możesz nawiązać komunikację tekstową, głosową i wideo. W tym rozdziale dowiesz się, jak to zrobić.

1. Poczta elektroniczna

Poczta elektroniczna (e-mail) to jedna z najstarszych i wciąż najpopularniejszych usług komunikacyjnych w internecie. Powstała już w 1965 r., na długo zanim pojęcie „internet" zaczęło funkcjonować w przestrzeni publicznej. Poczta elektroniczna – jak sama nazwa wskazuje – to usługa umożliwiająca pisanie i odbieranie listów, zwanych mailami. Każdy tablet jest wyposażony w aplikację służącą do prowadzenia takiej korespondencji. W tej książce przeczytasz o korzystaniu z poczty elektronicznej za pomocą aplikacji **Gmail**, standardowo dostarczanej razem z systemem Android.

Odbieranie maili

Poniższe wskazówki wyjaśnią ci, jak odbierać korespondencję przy użyciu aplikacji **Gmail**.

1 Uruchom program **Gmail**, wskazując jego ikonę. Powinna ona znajdować się bezpośrednio na pulpicie systemu Android, obok przycisku aktywującego ekran aplikacji. Jeżeli nie jest widoczna na pulpicie, z pewnością znajdziesz ją na ekranie aplikacji. Jeżeli podczas pierwszego uruchomienia tabletu skonfigurowałeś konto Google, to logowanie na pocztę odbywa się teraz automatycznie.

WAŻNE

Korzystanie z poczty elektronicznej wymaga połączenia z internetem. Z rozdziału II wiesz, że połączenie to może być realizowane przez sieć bezprzewodową (Wi-Fi) lub – w przypadku tabletu 3G/LTE – za pośrednictwem sieci komórkowej. Zalecanym sposobem połączenia podczas wymiany prywatnych informacji, takich jak korespondencja elektroniczna, jest domowa, zabezpieczona sieć Wi-Fi, ewentualnie łącze 3G/LTE. Nie zaleca się natomiast korzystania z poczty elektronicznej w otwartych (niewymagających żadnego hasła), publicznych sieciach Wi-Fi.

2 Ekran główny programu **Gmail** dzieli się na kilka części. Wzdłuż lewej krawędzi (przy założeniu, że trzymasz tablet poziomo) widać pasek kategorii maili. Standardowo aktywna jest kategoria **Główne**.

3 Nieco bliżej środka ekranu wyświetla się lista nagłówków maili znajdujących się w twojej skrzynce. Każdy nagłówek jest poprzedzony charakterystycznym piktogramem, najczęściej literą w kolorowym kółku.

4 Największą część ekranu zajmuje obszar, w którym pokazuje się treść listów. Aby przeczytać mail ze skrzynki odbiorczej, wskaż palcem jego nagłówek – treść zostanie wtedy automatycznie wyświetlona.

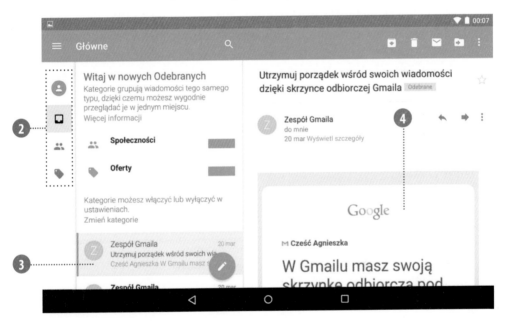

WAŻNE

Użytkownik tabletu z Androidem, który podczas pierwszego uruchomienia przeprowadził pełną procedurę konfiguracyjną (patrz rozdział II) i zarejestrował własne konto Google, nie musi rejestrować się w usłudze poczty elektronicznej. Skrzynkę e-mail otrzymał bowiem wraz z założeniem konta Google. Twoim adresem jest identyfikator, który podawałeś w trakcie rejestracji. Ma on postać: twoja_nazwa@gmail.com.

117

5 Jeżeli treść odczytywanego listu nie mieści się na ekranie tabletu, możesz ją przewijać palcem w kierunku góra–dół.

Wysyłanie maili

Oto, jak wysyła się maile za pomocą aplikacji **Gmail**, standardowo dostępnej w systemie Android.

1 W znany ci już sposób uruchom aplikację **Gmail**.

2 Aby odpowiedzieć na mail, który znajduje się w twojej skrzynce, zaznacz go, wskazując jego nagłówek (a). Po prawej stronie ekranu – tam, gdzie wyświetla się treść listu – dotknij symbolu strzałki zakręconej w lewą stronę (b).

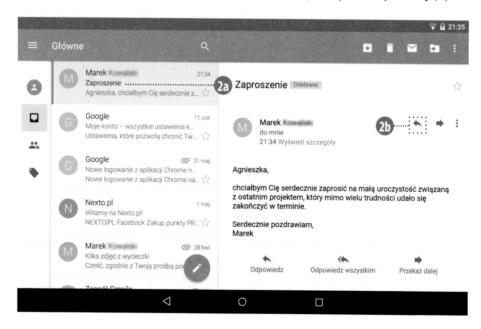

3 Automatycznie włączy się tryb edycji nowego listu. O tym, że odpowiadasz na odebrany mail, świadczy napis **Odpowiedz** w górnej części ekranu.

WSKAZÓWKA

Każdy list elektroniczny musi zawierać adres odbiorcy. Należy wpisać również temat i oczywiście treść.

4 Kiedy odpowiadasz na mail, nie musisz wpisywać adresu odbiorcy w pole **Do**, gdyż jest on automatycznie wstawiany przez program (a). Automatycznie generowany jest też temat – powstaje on przez połączenie frazy **Re:** (co oznacza odpowiedź) i tematu listu, na który odpisujesz (b). Jedyne, co musisz zrobić, to wprowadzić treść wiadomości za pomocą klawiatury ekranowej (c).

5 Po wpisaniu odpowiedzi wyślij list, wskazując trójkątny symbol/strzałkę skierowaną w prawo (w prawym górnym rogu ekranu).

6 Aby stworzyć zupełnie nowy list, na ekranie głównym aplikacji **Gmail** dotknij symbolu pisaka w kółku.

7 Następnie wprowadź kolejno: adres e-mail odbiorcy w polu **Do**, temat listu w polu **Temat**, a poniżej – treść korespondencji. Po zredagowaniu wiadomości wysyłasz ją podobnie jak w przypadku odpowiadania: wskazujesz symbol trójkąta/strzałki skierowanej w prawo.

8 Wysyłanie maili to również przesyłanie otrzymanych listów dalej – do innych adresatów. Aby przekazać komuś wiadomość, wybierz ją na ekranie głównym aplikacji **Gmail**, tak by po prawej stronie widzieć treść listu do przekazania.

9 Teraz dotknij symbolu strzałki skierowanej w prawo. Znajdziesz go obok poznanego wcześniej symbolu zakręconej strzałki w lewo, służącego do tworzenia odpowiedzi.

10 Aplikacja uaktywni tryb edycji. Tym razem musisz podać jedynie adres odbiorcy (w polu **Do**) (a). Pole **Temat** jest automatycznie modyfikowane przez dodanie do tematu przekazywanego listu frazy **Fwd:**, co oznacza właśnie przekazaną korespondencję (b). Również treści nie musisz wpisywać – odbiorca otrzyma treść przekazywanego przez ciebie listu. Niemniej w dobrym tonie jest opatrzenie takiej korespondencji własnym komentarzem, wyjaśniającym odbiorcy, dlaczego przekazujesz mu mail (c).

Dodawanie załączników

W razie potrzeby do listów elektronicznych możesz dodawać załączniki. Sprawdź, jak to zrobić w opisywanej tu aplikacji **Gmail**.

1 Uruchom program **Gmail**, a następnie uaktywnij tryb edycji nowego listu (wskazując symbol pisaka w kółku na ekranie głównym aplikacji).

2 Wprowadź dane nowej korespondencji (adres odbiorcy, temat, treść). Aby dodać załącznik do tworzonego listu,

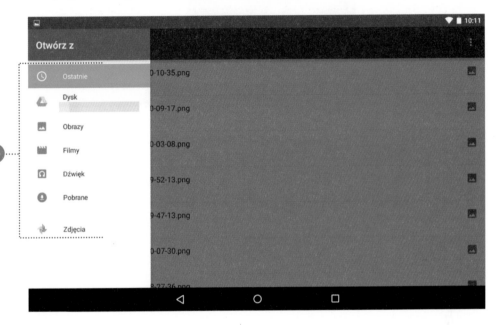

wskaż symbol spinacza, widoczny obok znanego ci już symbolu wysyłania maili.

3 Na ekranie wyświetli się niewielkie menu. Wskaż w nim pozycję **Załącz plik**.

4 Uaktywni się ekran **Otwórz z**. Najpierw – po lewej stronie ekranu – wybierz, jakiego typu załącznik chcesz umieścić w korespondencji (obraz, dźwięk, dokument tekstowy itp.). Następnie wskaż palcem plik, który ma być dodany jako załącznik.

WSKAZÓWKA

Do listu da się teoretycznie dodać dowolną liczbę załączników. Jedynym ograniczeniem jest objętość tych plików – w usłudze **Gmail** maksymalny łączny rozmiar wszystkich załączników nie może przekroczyć 25 MB (megabajtów).

5 Kiedy powrócisz do trybu edycji, w treści maila zobaczysz symbol wskazujący na umieszczenie załącznika (na ilustracji widać informację o załączniku w postaci fotografii).

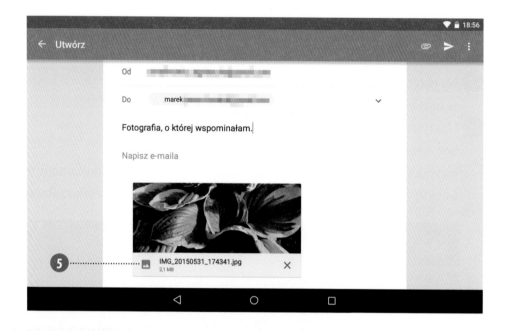

WSKAZÓWKA

Zwróć uwagę, że program **Gmail** informuje nie tylko o nazwie pliku – załącznika, lecz także o jego wielkości (na powyższej ilustracji załącznikiem jest zdjęcie o wielkości 2,1 MB). Pamiętaj, że wielkość pojedynczego listu razem z załącznikami jest ograniczona. Ponadto przesyłanie maili zawierających wiele dużych załączników bez wcześniejszego uzgodnienia z adresatem nie jest w dobrym tonie.

6 Tak przygotowany list wysyłasz w znany ci sposób – wskazując trójkąt/strzałkę skierowaną w prawo w prawym górnym rogu ekranu edycji.

Otwieranie załączników

Podczas korzystania z poczty elektronicznej z pewnością będziesz również otrzymywał maile z załącznikami. Poniżej wskazówki, jak je otwierać.

1 Uruchom aplikację **Gmail**. Jeżeli do twojej skrzynki trafi jakiś mail z załącznikami, obok jego nagłówka zobaczysz charakterystyczny symbol spinacza.

2 Wskaż nagłówek, aby odebrać ten list. Po prawej stronie ekranu pokaże się treść listu (a), a pod nią – miniaturki załączników (w przykładzie pokazanym na ilustracji załącznikami są fotografie) (b).

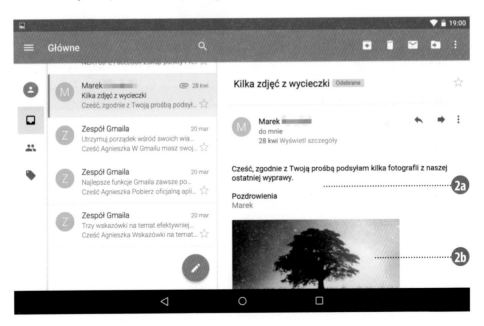

3 Dotknięcie miniatury skutkuje wyświetleniem załącznika na odrębnym ekranie. Aby wrócić do ekranu aplikacji **Gmail**, wskaż na ekranie podglądu strzałkę w lewo, wyświetlaną w lewym górnym rogu.

④ Pod miniaturą załącznika widoczne są też dodatkowe elementy: ikonka symbo-lizująca typ pliku (a), nazwa pliku (b), ikonka umożliwiająca pobranie załącznika i zapisanie go w pamięci tabletu (strzałka skierowana w dół) (c), trójkątny symbol usługi **Dysk Google** (d). Wskazanie tego ostatniego skutkuje zapi-saniem wybranego załącznika na **Dysku Google** powiązanym z twoim kontem Google.

CIEKAWOSTKA

Dysk Google to usługa polegająca na przechowywaniu danych w tzw. chmurze. Oznacza to, że dane nie są zapisywane w pamięci tabletu, lecz w internecie, w przestrzeni przydzielonej bezpośrednio do twojego konta.

2. Wideorozmowy przez internet

Z jednej strony tablet jest urządzeniem przenośnym, znacznie wygodniejszym od laptopa, o komputerze stacjonarnym nie wspominając. Z drugiej – ma dużo większy ekran niż telefon komórkowy, co czyni z niego użyteczne narzędzie do prowadzenia wideorozmów przez internet.

Aplikacja Hangouts i usługa Google Hangouts

Jednym ze sposobów nawiązywania połączeń wideo przez internet jest skorzystanie z aplikacji **Hangouts**, standardowo dostarczanej z systemem Android. Umożliwia ona dostęp do internetowej usługi komunikacyjnej o nazwie **Google Hangouts**.

1 Uruchom aplikację **Hangouts**. Ponieważ należy ona do standardowych programów systemu Android, ikonę powinieneś znaleźć bezpośrednio na pulpicie Androida. Jeżeli jej tam nie ma, poszukaj na ekranie aplikacji.

WSKAZÓWKA

Zaletą usługi **Google Hangouts** jest to, że nie musisz się w niej rejestrować – to jedna z wielu usług powiązanych z kontem Google, które zarejestrowałeś podczas wstępnej konfiguracji tabletu. Każdy posiadacz konta Google ma dostęp do tej usługi, co oznacza, że możesz się za jej pośrednictwem kontaktować ze wszystkimi znajomymi korzystającymi z tabletu czy smartfonu z Androidem.

2 Po uruchomieniu aplikacji **Hangouts** na ekranie może się pojawić komunikat promujący nowe funkcje tej usługi. Wskaż **OK**, by zamknąć komunikat.

3 Zobaczysz komunikat **Dzwoń z Hangouts**. Proponuje on jedną z funkcji usługi **Google Hangouts** – możliwość wykonywania połączeń telefonicznych przez internet. Na terenie Polski jest to usługa płatna, więc aby nie ponosić dodatkowych kosztów, wybierz **Pomiń**.

4 Zobaczysz ekran główny programu **Hangouts**. W górnej części wyświetlają się nazwa twojego konta Google i przypisany do niego adres e-mail (a). Aby rozpocząć rozmowę, dotknij dowolnego miejsca w pustym obszarze roboczym, zajmującym większość ekranu (b).

5 Pojawi się komunikat informujący o braku połączenia. Wskaż palcem napis **Wpisz osobę, adres e-mail lub numer telefonu**, by wprowadzić w polu tekstowym adres e-mail rozmówcy.

Nowe funkcje w Hangouts

"Ostatnio widziano" pokazuje, kiedy osoby, z którymi rozmawiasz w Hangouts, ostatnio używały tej usługi. Swój stan "ostatnio widziano" możesz zmienić w ustawieniach.

2

OK

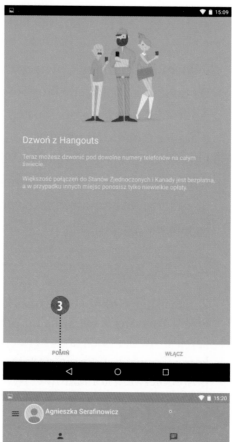

Dzwoń z Hangouts

Teraz możesz dzwonić pod dowolne numery telefonów na całym świecie.

Większość połączeń do Stanów Zjednoczonych i Kanady jest bezpłatna, a w przypadku innych miejsc ponosisz tylko niewielkie opłaty.

3

POMIŃ   WŁĄCZ

Agnieszka Serafinowicz   +

4a

Agnieszka Serafinowicz

Wpisz osobę, adres e-mail lub numer telefonu   **5**

Nie masz z nikim połączenia. Spróbuj dodać kilka osób do swoich kręgów.

4b

Wyślij wiadomość lub rozpocznij rozmowę

WAŻNE

Niniejsza instrukcja zakłada, że osoba, z którą chcesz prowadzić wideo-rozmowę za pośrednictwem usługi **Google Hangouts**, ma konto Google i powiązany z nim adres e-mail.

6 Po wpisaniu adresu e-mail program może wyświetlić niewielkie menu. Pozwala ono na wybór sposobu dodania osoby, której adres e-mail wpisałeś, do pamięci programu. Możliwe są dwie opcje: dodanie według adresu e-mail (wskaż adres widoczny pod napisem **Dodaj według adresu e-mail**) (a) lub dodanie na podstawie kontaktu odnalezionego w sieci społecznościowej Google+, również powiązanej z kontami Google (b). Jeżeli nie jesteś pewien, czy konto Google+ należy do znajomego, którego adres podałeś, wybierz wariant pierwszy.

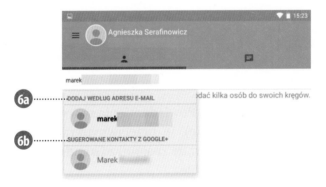

WSKAZÓWKA

W powyższym punkcie pojawiła się nazwa „Google+". Mowa o sieci społecznościowej utworzonej przez firmę Google. Więcej na temat sieci społecznościowych w ogóle, a także sieci Google+ znajdziesz w dalszej części rozdziału.

7 Po zatwierdzeniu wprowadzonego adresu zobaczysz kolejny ekran. W jego górnej części wyświetlą się imię i nazwisko wybranego przez ciebie rozmówcy (a). Ekran ten umożliwia prowadzenie rozmów tekstowych, głosowych i wideo. Aby rozpocząć rozmowę wideo, dotknij symbolu kamery, widocznego w górnej części ekranu (b).

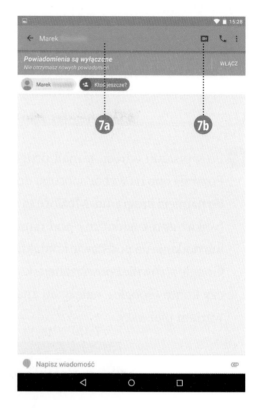

Jeżeli na ekranie pojawił się napis **Powiadomienia są wyłączone**, wybierz opcję **Włącz** (po prawej stronie). W przeciwnym razie nie będziesz otrzymywał powiadomień o tym, że znajomi z **Google Hangouts** próbowali nawiązać z tobą połączenie.

8 Aplikacja **Hangouts** zacznie wywoływać twojego rozmówcę, co przypomina zwykłe dzwonienie przez telefon. Na ekranie zobaczysz samego siebie – obraz rejestrowany przez przednią kamerę tabletu. Poczekaj chwilę, aż twój rozmówca odbierze połączenie na swoim urządzeniu.

9 Gdy połączenie zostanie nawiązane, obraz widoczny w większej części ekranu będzie pochodził od rozmówcy. Obraz rejestrowany przez kamerę twojego tabletu będzie natomiast wyświetlany w niewielkiej ramce w prawym dolnym rogu ekranu. Aby zakończyć połączenie, najpierw dotknij dowolnego miejsca na ekranie, a potem spośród ikonek wybierz tę z symbolem słuchawki.

Połączenia wideo nawiązywane za pośrednictwem usługi **Google Hangouts** z rozmówcami również korzystającymi z tej usługi nie wiążą się z żadnymi opłatami. Pomijając koszt łącza internetowego, są bezpłatne.

Aplikacja Skype

Alternatywnym programem umożliwiającym prowadzenie rozmów wideo jest **Skype**. Poniższe wskazówki wyjaśniają, jak nawiązać wideorozmowę za pomocą tego narzędzia.

1 **Skype** nie należy do programów standardowo zainstalowanych na tabletach z systemem Android – dodaj go więc ze sklepu Google Play. Program jest bezpłatny.

2 Uruchom aplikację **Skype** (po instalacji jego ikona jest umieszczana na pulpicie systemu Android). Na pierwszym ekranie wybierz polecenie **Utwórz konto**.

WAŻNE

Niniejsza instrukcja bazuje na założeniu, że nie masz konta Skype. Jeśli jednak korzystasz z komputera z systemem Windows 8/8.1, bardzo możliwe, że dysponujesz kontem Microsoft. W takim wypadku nie musisz zakładać nowego konta Skype – usługa **Skype** należy do firmy Microsoft i można się do niej logować, wybierając polecenie **Konto Microsoft**. Przejdź zatem od razu do punktu 5.

3 Wyświetli się ekran z odsyłaczami do regulaminu i zasad ochrony danych osobowych. Powinieneś zapoznać się z tymi dokumentami (wskazując palcem odsyłacze do nich). Gdy to zrobisz, wskaż przycisk **Kontynuuj**.

WSKAZÓWKA

Odsyłacze do regulaminu uruchamiają wbudowaną w tablet przeglądarkę internetową i prezentują w niej treść dokumentów. Aby powrócić do aplikacji **Skype**, użyj standardowego przycisku funkcyjnego **Ostatnio otwarte aplikacje** (jest on oznaczony symbolem kwadratu – patrz rozdział I), a następnie wskaż miniaturę programu **Skype**.

4 Na kolejnym ekranie wypełnij formularz rejestracji konta Skype. Podaj kolejno: imię, nazwisko, nazwę użytkownika (pseudonim – dowolny ciąg znaków, po którym będą cię rozpoznawać inni użytkownicy usługi) i hasło (wpisuje się je dwukrotnie w celu uniknięcia pomyłki). Twój adres e-mail powinien już być automatycznie wpisany (a). Po wypełnieniu formularza zakończ rejestrację, wskazując strzałkę skierowaną w prawo (b).

WAŻNE

Może się zdarzyć, że wymyślona przez ciebie nazwa użytkownika Skype będzie już zajęta. W takim przypadku po prostu wpisz inną nazwę lub skorzystaj z podpowiedzi generowanych przez program.

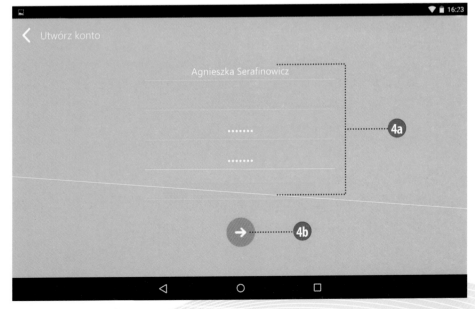

5 Zobaczysz główny ekran aplikacji **Skype**. Aby móc nawiązać jakiekolwiek połączenie wideo, musisz dodać dane swojego rozmówcy. Wskaż symbol postaci ze znakiem **+**, widoczny w górnej części ekranu, i z rozwiniętego w ten sposób menu wybierz **Dodaj osoby**.

6 Teraz wpisz nazwę Skype, e-mail lub imię i nazwisko rozmówcy. Potem wybierz na klawiaturze **Wyszukaj**.

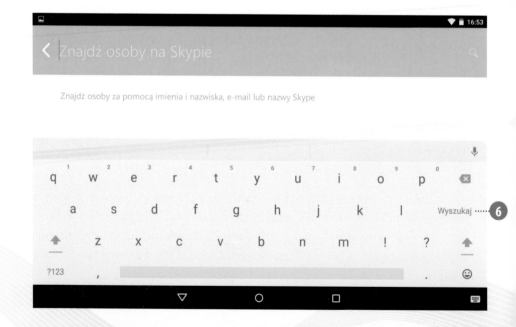

Najszybciej odnajdziesz rozmówców, podając ich identyfikatory Skype lub adresy e-mail, ponieważ są one unikalne. Niniejsza instrukcja opiera się na założeniu, że znasz identyfikator Skype lub mail rozmówcy, a osoby, z którymi zamierzasz się kontaktować, korzystają już z omawianej usługi.

7 Gdy **Skype** znajdzie identyfikator rozmówcy, wyświetli imię i nazwisko. Wskaż je na ekranie.

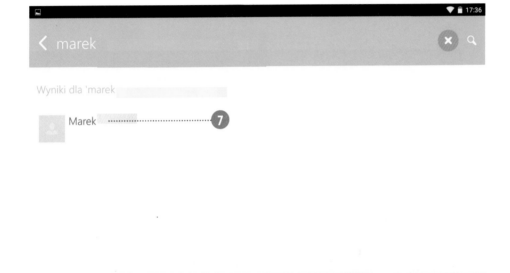

8 Na kolejnym ekranie możesz nawiązać połączenie wideo z wybraną osobą – wystarczy, że wybierzesz symbol kamerki.

Zalecane jest użycie przycisku **Dodaj do kontaktów**, widocznego po wybraniu odnalezionego kontaktu do rozmówcy. Dzięki dodaniu znajomego będziesz mógł go wywoływać bezpośrednio po uruchomieniu aplikacji **Skype** – bez konieczności ponownego wyszukiwania tej samej osoby.

133

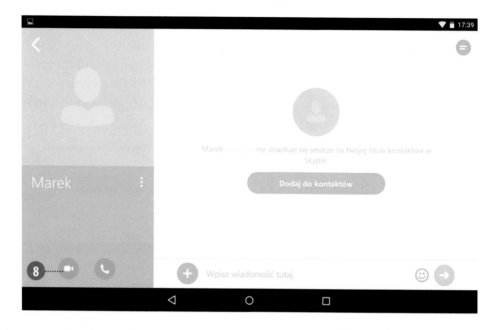

9 Gdy twój rozmówca odbierze połączenie, na ekranie zobaczysz obraz wideo pochodzący z jego kamery. Twój obraz będzie widoczny w małej ramce wyświetlanej w lewym dolnym rogu ekranu. Aby zakończyć połączenie wideo, dotknij ekranu, a następnie wskaż kółko z symbolem słuchawki.

WAŻNE

Podobnie jak w przypadku usługi **Google Hangouts**, połączenia za pomocą aplikacji **Skype** są bezpłatne (nie licząc kosztu samego łącza internetowego, niezbędnego do realizowania takich połączeń).

3. Sieci społecznościowe

Przy użyciu tabletu możesz również kontaktować się ze znajomymi za pośrednictwem popularnych sieci społecznościowych. W tym podrozdziale znajdziesz wyjaśnienie, czym są takie sieci i jak korzystać z dwóch najpopularniejszych rozwiązań tego typu na platformie Android.

Czym są sieci społecznościowe?

Sieć społecznościowa to usługa internetowa umożliwiająca ludziom nawiązywanie kontaktów ze znajomymi i poznawanie nowych osób o zbliżonych zainteresowaniach. Pod względem formy kontaktu sieć społecznościowa jest rozwiązaniem pośrednim między klasyczną korespondencją elektroniczną a komunikacją bardziej bezpośrednią (taką jak rozmowy wideo, o których była mowa wyżej). Podstawowym zasobem każdej sieci społecznościowej są ludzie, tworzący internetową społeczność. O tym, jak potężne jest to medium komunikacyjne, świadczy liczba użytkowników. Zgodnie z różnymi badaniami (w Polsce statystyki opublikował m.in. Gemius) z sieci społecznościowych korzysta ok. 90 proc. internautów – zarówno na całym świecie, jak i w naszym kraju. Założenie konta w serwisie społecznościowym daje możliwość poznania osób o podobnych pasjach. To swoisty cyfrowy odpowiednik klubów, zrzeszeń i stowarzyszeń.

Każda sieć społecznościowa pozwala na:
● odnalezienie znajomych – ludzi o zbliżonych zainteresowaniach, poglądach itp.;
● umieszczanie informacji publicznych – tzw. postów (ang. *post* – „korespondencja", „nadać"), które są widoczne dla wszystkich posiadaczy kont danej sieci społecznościowej;
● publikowanie informacji tylko dla znajomych – możesz zamieszczać ogłoszenia (tekst, zdjęcie, wideo) dostępne wyłącznie dla osób mających konto w danej sieci i znajdujących się w kręgu twoich znajomych;
● bezpośrednią komunikację z konkretnymi osobami z danej sieci.

135

Google+

Sieć społecznościowa Google+ jest ściśle powiązana z kontem Google, które zarejestrowałeś we wstępnej fazie konfiguracji tabletu. Oznacza to, że jako posiadacz konta Google nie musisz się rejestrować w Google+. Poniższe wskazówki wyjaśnią, jak korzystać z sieci Google+ na tablecie z Androidem.

1 Uruchom aplikację **Google+**. Jej ikonę znajdziesz w poznanym wcześniej folderze **Google**, umieszczonym na pulpicie systemu Android.

2 Jeśli uruchamiasz ten program po raz pierwszy, zobaczysz planszę powitalną **Google+**. Wskaż napis **Dalej**.

3 Pojawi się główny ekran aplikacji **Google+**. Po lewej stronie wyświetlają się sugerowane przez serwis profile osób, które możesz znać, lub propozycje konkretnych społeczności, do których możesz dołączyć (a). Po prawej najczęściej widać publiczne wpisy różnych ludzi, posiadaczy kont Google+ z całego świata (b). Treści prezentowane przez aplikację przewijasz tak samo jak w przypadku stron internetowych.

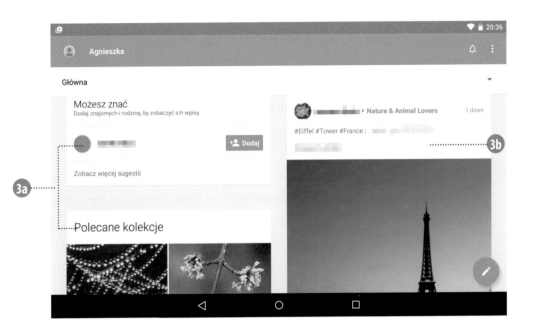

Społeczności w sieci Google+ to grupy skupiające osoby o podobnych pasjach, zainteresowaniach, poglądach. Nie musisz dołączać do społeczności proponowanych przez aplikację. Pamiętaj: to nie program, lecz ty decydujesz, jakich ludzi chcesz poznać i z kim chcesz się dzielić swoimi spostrzeżeniami.

4 Aby stać się członkiem jednej ze społeczności sugerowanych przez program, po prostu wskaż przycisk **Dołącz do społeczności**.

5 Przeglądając publiczne wpisy innych osób, zwróć uwagę na widoczne przy nich ikonki. Wskazanie symbolu **+1** sprawi, że dany wpis zostanie oznaczony jako coś, co ci się podoba. Liczba widoczna przy tym symbolu to liczba „polubień" danej informacji przez innych użytkowników Google+.

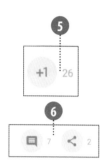

6 Symbol dymku oznacza komentarze. Po wskazaniu dymku zobaczysz ekran z komentarzami do oglądanego wpisu, wprowadzonymi przez innych użytkowników. Ty również możesz dodać komentarz – jego treść wpisujesz w dolnej części ekranu z listą komentarzy. Ostatni symbol widoczny przy wpisach umożliwia podzielenie się czytaną informacją z innymi znajomymi. Najpierw jednak warto dodać znajomego do własnego kręgu w Google+.

7 Aby wyszukać znajomego, wskaż na ekranie głównym aplikacji napis **Główna** (a), a następnie obok symbolu lupki wpisz imię i nazwisko poszukiwanej osoby (b).

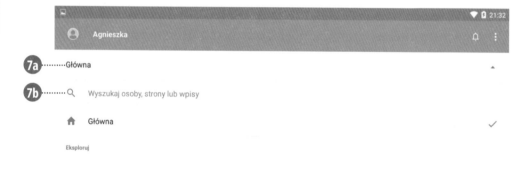

8 Gdy program odnajdzie tę osobę, możesz ją dodać do kręgu swoich znajomych. W tym celu dotknij przycisku **Dodaj do kręgów**.

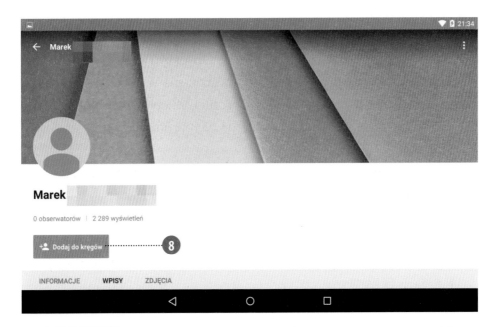

WSKAZÓWKA

Podczas pierwszego wykonywania jakiejś akcji, np. dodawania do kręgów czy komentowania wpisu, pojawi się ekran służący do utworzenia profilu Google+. Podaj swoje imię i nazwisko oraz wskaż napis **Utwórz**.

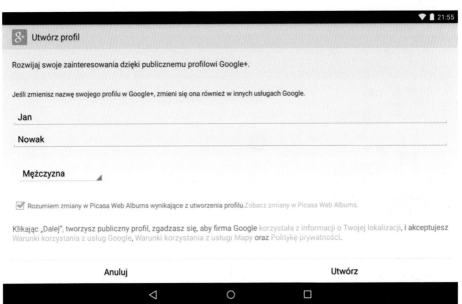

9 Po utworzeniu profilu aplikacja wyświetli szereg kategorii tematycznych
i profili, które mogą cię zainteresować. Aby dodać jakąś kategorię do obserwo-
wanych (np. **Podróże**), naciśnij przycisk **Obserwuj wszystko** (a). Aby zacząć
śledzić konkretne profile, najpierw wskaż napis **Wyswietl wszystko** (b).

10 Następnie obok interesujących cię profili wybieraj **Obserwuj**. Od tej pory
wszystkie informacje publikowane na tych profilach będą trafiać również
do ciebie.

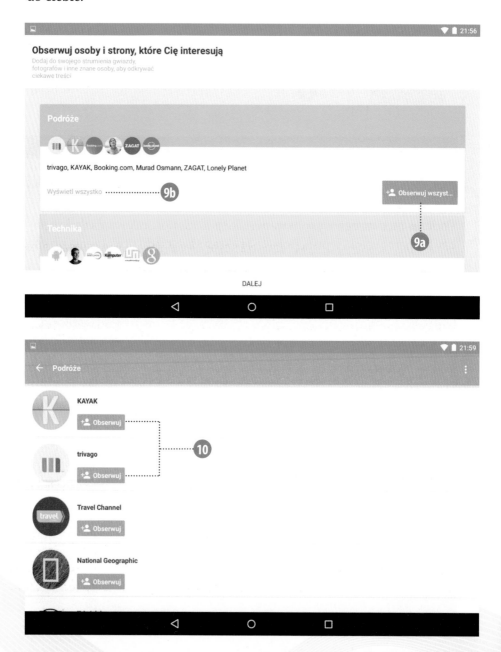

WSKAZÓWKA

Tajniki sieci społecznościowej najlepiej poznawać przy pomocy kogoś bardziej doświadczonego w korzystaniu z niej. Dodaj takiego znajomego do swojego kręgu Google+.

Facebook

Facebook jest najpopularniejszą siecią społecznościową na świecie. Konta na Facebooku ma ponad miliard ludzi! Poniższe wskazówki pomogą ci dołączyć do tej olbrzymiej społeczności.

1 Aby korzystać z Facebooka za pomocą tabletu, musisz zacząć od zainstalowania bezpłatnej aplikacji **Facebook** ze sklepu Google Play. Po zainstalowaniu uruchom program, wskazując jego ikonę na pulpicie systemu Android lub na ekranie z aplikacjami.

2 Wyświetli się ekran logowania do Facebooka. Jeśli nie masz jeszcze konta w tej sieci, wskaż napis **Zarejestruj się na Facebooku**.

141

3 Na kolejnym ekranie najpierw wskaż napis **Dalej**, a później podaj swój adres e-mail (a) i ponownie wskaż **Dalej** (b).

WSKAZÓWKA

Podany adres e-mail jest jednocześnie twoim identyfikatorem, niezbędnym do zalogowania się w serwisie.

4 Następny etap rejestracji to podanie imienia i nazwiska oraz zdefiniowanie hasła, które będzie chroniło dostęp do tworzonego konta. Po wpisaniu hasła wskaż napis **Dalej**.

5 Po wprowadzeniu hasła musisz podać datę urodzin. Kiedy to zrobisz, znowu wybierz **OK**.

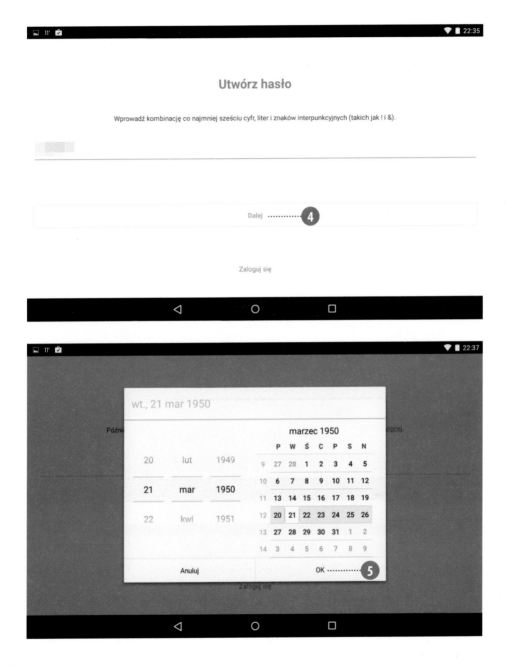

6 Musisz jeszcze podać płeć. To ostatni etap procesu rejestracji. Następnym zadaniem jest konfiguracja nowo utworzonego profilu na Facebooku.

7 Program prosi cię o dodanie zdjęcia. Możesz wybrać zdjęcie już przechowywane w pamięci tabletu (wskaż **Wybierz z galerii**) (a) lub zrobić nowe

(wskaż **Zrób zdjęcie**) (b). Jeżeli nie chcesz w tej chwili dodawać żadnego zdjęcia, wybierz napis **Pomiń**, widoczny w prawym górnym rogu (c).

8 Kolejny etap to dodawanie znajomych. Aplikacja proponuje przeszukanie książki adresów powiązanych z podanym przez ciebie adresem e-mail i sprawdzenie, czy osoby z tej książki mają konta na Facebooku. Aby rozpocząć ten proces, wybierz przycisk **Rozpocznij** (a). Jeżeli sobie tego nie życzysz i wolisz samodzielnie odszukać znajomych, wskaż **Pomiń** (b).

9 Zobaczysz ekran główny aplikacji **Facebook**. Aby dodać znajomego, wybierz symbol dwóch postaci – wyświetlony w górnej części ekranu (a) – i dotknij napisu **Szukaj znajomych** (b).

10 Na kolejnym ekranie wybierz kartę **Szukaj** (a). Teraz wpisz imię i nazwisko osoby, którą chcesz odnaleźć na Facebooku (b).

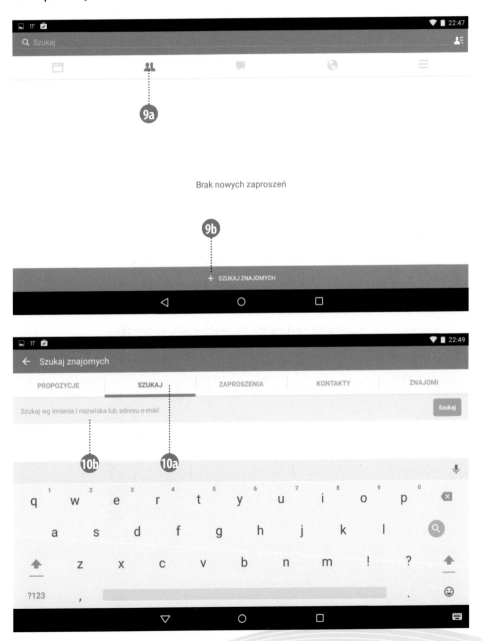

11 Gdy program znajdzie tę osobę, wskaż przycisk **Dodaj znajomego**, widoczny po prawej stronie.

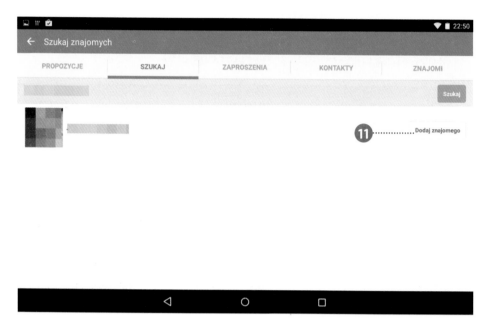

12 Wybrana osoba otrzyma zaproszenie do grona twoich znajomych. Kiedy odpowie, zobaczysz na ekranie stosowne powiadomienie. Od tej pory będziesz już mieć znajomego w sieci społecznościowej – niech stanie się on twoim przewodnikiem po świecie Facebooka.

VI Komunikacja

VII

Tablet i komputer

Wiesz już, że tablet pozwala przechowywać mnóstwo informacji. W pamięci niewielkiego urządzenia możesz mieć tysiące fotografii, korespondencję ze znajomymi z całego świata, własne filmy i nagrania dźwiękowe. Unikalność tych danych sprawia, że trzeba je odpowiednio chronić.

W niniejszym rozdziale poznasz sposób na wykonanie kopii zapasowej ważnych plików z tabletu w komputerze z systemem Windows. Dowiesz się również, jak dodać zdjęcia, muzykę i filmy do pamięci sprzętu, aby je później odtwarzać – np. podczas wizyty u wnuków. Zdjęcia i filmy zarejestrowane za pomocą tabletu są automatycznie zapisywane w jego pamięci, ale zdjęcia i filmy z komputera, które chciałbyś odtworzyć na tablecie, musisz najpierw przenieść. Sprawdź, jak to zrobić.

1. Kopia zapasowa – jak ją wykonać?

Utrata tabletu w wyniku jego uszkodzenia, zagubienia czy kradzieży to sytuacja bardzo niekomfortowa. Urządzenie zawsze da się jednak zastąpić innym; danych, które znajdowały się w sprzęcie – o ile wcześniej nie zadbasz o wykonanie ich kopii – już nie. Dane często mają dla użytkownika dużo większe znaczenie niż sam tablet. Na szczęście możesz je ochronić przez samodzielne wykonanie kopii zapasowej. Poniżej przeczytasz o tym, jak skopiować pliki z tabletu na komputer działający pod kontrolą systemu Windows. W instrukcjach przyjęto założenie, że umiesz posługiwać się komputerem stacjonarnym lub laptopem z systemem Windows i wykonywać na tych urządzeniach podstawowe operacje – kopiowanie i przenoszenie plików.

Do przekopiowania danych potrzebujesz przewodu ze złączem microUSB z jednej strony oraz USB z drugiej. Taki przewód powinieneś otrzymać razem z tabletem i ładowarką USB.

1 Zacznij od podłączenia tabletu do komputera. Większą końcówkę (wtyczkę USB) podłącz do gniazda USB w komputerze, mniejszą (microUSB) – do tabletu. Oba urządzenia powinny być włączone.

> **WSKAZÓWKA**
>
> Nie ma ryzyka, że się pomylisz podczas łączenia urządzeń. Wtyczka USB pasuje do każdego gniazdka USB w komputerze (zwykle jest ich kilka) i nie da się jej odwrotnie włożyć do gniazdka.

2 Komputer wykryje podłączone urządzenie. W prawym dolnym rogu ekranu komputera pojawi się taki napis jak na poniższej ilustracji.

Instalowanie oprogramowania sterownika urządzenia ⌄ ✕
Kliknij tutaj, aby zobaczyć stan instalacji.

3 Po chwili komunikat ten powinien zniknąć – oznacza to, że można przystąpić do wykonywania kopii zapasowej. Wywołaj w systemie Windows okno **Komputer**. Obok ikon dysków wyświetli się ikona symbolizująca podłączony tablet. Kliknij ją dwukrotnie lewym przyciskiem myszki.

4 Zobaczysz ikonkę dysku, symbolizującą pamięć tabletu. Po jej dwukrotnym kliknięciu wyświetli się zestaw folderów. Poniższa lista zawiera nazwy wybranych folderów tabletu z Androidem i krótkie opisy zawartości każdego z nich.

> **WAŻNE**
>
> Tablet ma własną pamięć wewnętrzną, w której przechowywane są dane systemowe i dane użytkownika. Wiele urządzeń pozwala na instalację dodatkowej pamięci w postaci karty microSD. Jej zawartość również możesz kopiować – karta microSD będzie widoczna na komputerze jako ikonka dodatkowego dysku.

- **DCIM** – folder zawierający wszystkie zdjęcia i nagrania wideo wykonane za pomocą kamer wbudowanych w tablet.
- **Movies** – miejsce na pliki wideo z innych źródeł niż kamery tabletu.
- **Pictures** – miejsce na ilustracje i zdjęcia pochodzące z innych źródeł niż aparat wbudowany w tablet. W tym folderze przechowywane są również np. zrzuty ekranowe z ekranu tabletu.
- **Music** – tutaj umieszczana jest muzyka, którą można odtworzyć za pomocą tabletu i zainstalowanych w nim aplikacji służących do tego celu.
- **Download** – folder przeznaczony na dane pobrane przez użytkownika podczas korzystania z internetu na tablecie.

149

WSKAZÓWKA

Folderów wyświetlanych w pamięci tabletu może być znacznie więcej, zwłaszcza że przybywa ich za sprawą zainstalowanych aplikacji. Jeżeli nie masz pewności, które foldery warto zachować, dobrym pomysłem jest przekopiowanie wszystkich.

5 Dane z folderów tabletu kopiujesz do komputera w taki sam sposób jak dane z dowolnego folderu w komputerze: przeciągając myszką ikonkę folderu z tabletu na dysk i folder znajdujący się w komputerze.

6 Aby odzyskać utracone dane w tablecie z wcześniej wykonanej kopii na komputerze, odwracasz kierunek kopiowania: przeciągasz myszką wykonane kopie folderów do okna z zawartością pamięci tabletu podłączonego do komputera.

WSKAZÓWKA

Kopie zapasowe powinno się wykonywać co jakiś czas. Dzięki temu w razie np. uszkodzenia czy kradzieży tabletu stracisz tylko te pliki, które zostały zapisane w jego pamięci po utworzeniu ostatniej kopii.

2. Wymiana danych z komputerem

Poniższe wskazówki wyjaśniają, jak przenosić treści różnego typu do pamięci tabletu.

1 Najprostszą metodą wymiany danych między tabletem a komputerem jest połączenie za pomocą okablowania USB – microUSB, tego samego, z którego korzystałeś podczas wykonywania kopii zapasowej.

2 Aby przegrać dane z komputera do pamięci tabletu, postępuj odwrotnie niż w przypadku wykonywania w komputerze kopii zapasowej danych z tabletu.

3 Na komputerze otwórz okno z folderami zawartymi w pamięci tabletu. Następnie otwórz drugie okno – z folderem, w którym znajdują się dane przeznaczone do przeniesienia na tablet.

4 Przeciągnij myszką pliki z folderu źródłowego (w komputerze) do folderu docelowego (w tablecie). Pamiętaj, by dane trafiały do właściwych folderów. Postępuj zgodnie z opisami z poprzedniego podrozdziału – np. muzykę kopiuj do folderu **Music**. Analogicznie postępuj w przypadku zdjęć czy filmów.

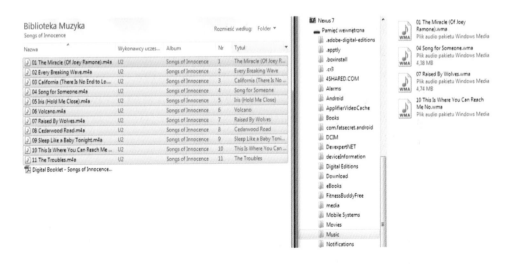

VIII
Dodatkowe zastosowania tabletu

Zakres zastosowań tabletu jest ograniczony jedynie wyobraźnią użytkownika. Tak szerokie spektrum możliwości gwarantuje olbrzymia baza aplikacji dostępnych w oficjalnym sklepie Google Play. W niniejszym rozdziale poznasz jedynie kilka przykładów spośród setek tysięcy aplikacji. Na łamach jednej publikacji nie sposób zaprezentować choćby niewielkiej części programów na tablety, ale dzięki pokazanym tu przykładom łatwiej ci będzie eksplorować zasoby sklepu Google Play w poszukiwaniu ciekawych rozwiązań.

1. Zakupy na tablecie

Internet to największa na świecie galeria handlowa. Znajdziesz w nim tysiące sklepów z najróżniejszymi towarami i usługami. Nawet jeżeli masz już doświadczenie w zakupach online realizowanych za pomocą komputera, przekonasz się, że przeglądanie ofert i zamawianie w elektronicznych sklepach i na aukcjach internetowych za pomocą tabletu jest jeszcze łatwiejsze.

Korzystanie z e-sklepów

Z poniższego krótkiego przewodnika dowiesz się, jak dokonać przykładowego zakupu za pomocą tabletu.

1 Większość sklepów internetowych jest dostosowana do obsługi za pośrednictwem przeglądarki internetowej, a zatem to właśnie przeglądarkę należy na wstępie uruchomić. Wskaż ikonkę **Chrome**, widoczną na pulpicie Androida.

2 Po uruchomieniu przeglądarki internetowej przejdź do witryny sklepu, w którym chcesz dokonać zakupu. Ten przykład dotyczy sklepu z kursami językowymi, dostępnego pod adresem www.jezykiobce.pl.

WSKAZÓWKA

Więcej informacji na temat przeglądarki WWW znajdziesz w rozdziale IV.

3 Po wczytaniu strony sklepu internetowego przeglądasz jego ofertę tak samo jak każdą inną stronę WWW. Cechą wyróżniającą sklepy online jest tzw. koszyk – wirtualny odpowiednik koszyka, do którego wkładasz produkty podczas zakupów w rzeczywistym sklepie. Aby dodać interesujący cię towar do wirtualnego koszyka w odwiedzonym sklepie, wskaż palcem charakterystyczny symbol, widoczny obok produktu.

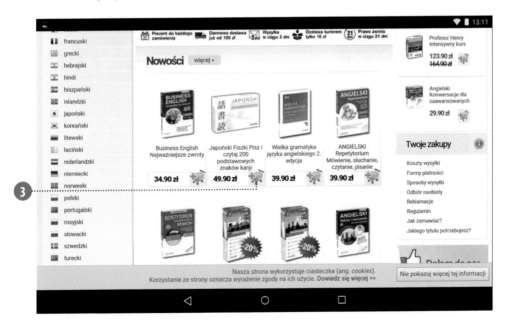

WSKAZÓWKA

Niekiedy włożenie towaru do wirtualnego koszyka w e-sklepie wymaga np. wskazania napisu **Dodaj do Koszyka**, **Kup** itp.; zależy to od wydawcy lub właściciela danego sklepu. Niezależnie od nazwy omawianego elementu cechą wszystkich sklepów elektronicznych jest obecność wirtualnego koszyka – nigdy nie płacisz od razu w momencie wskazania produktu.

4 W serwisie www.jezykiobce.pl dodanie produktu do koszyka skutkuje wyświetleniem dodatkowego komunikatu. Zawiera on krótki opis wybranego produktu, jego cenę, a czasem także inne, podobne towary, które mogą zainteresować kupującego. Aby przejść do płatności, należy wybrać **Przejdź do koszyka** (a). Wskazanie przycisku **Kontynuuj zakupy** zamknie natomiast ramkę z komunikatem – znajdziesz się z powrotem na stronie głównej sklepu (b).

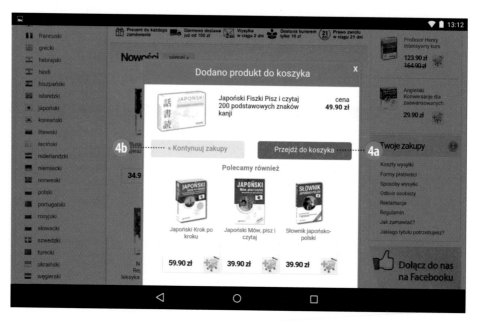

5 Po przejściu do koszyka wyświetli się jego zawartość. Niekiedy oprócz towaru zamawianego w koszyku mogą się pojawić dodatkowe elementy – takie jak pokazany na ilustracji program edukacyjno-rozrywkowy „Łamigłówki z angielskim", który w odwiedzonym sklepie jest bezpłatnie dodawany do zakupów.

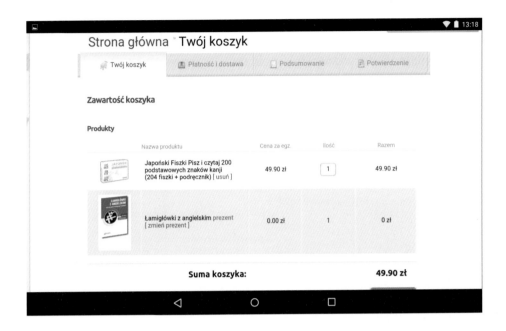

6 Strona z koszykiem pozwala sprawdzić, ile produktów zostało zamówionych i jaka jest łączna cena zakupów. To również wstęp do wyboru płatności – przewiń stronę w dół, a następnie wskaż przycisk **Wybierz formę płatności**.

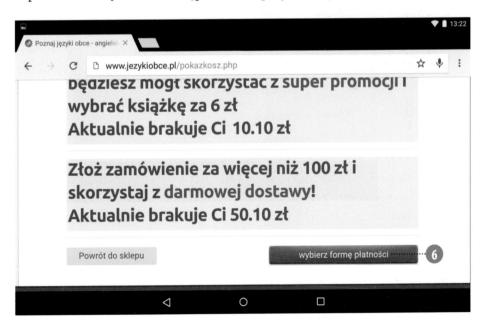

7 Na kolejnej stronie, która wyświetli się w przeglądarce, będzie widoczny formularz. Należy uzupełnić pola oznaczone wytłuszczoną czcionką (tak w przykładowym sklepie wyróżnione są pola obowiązkowe).

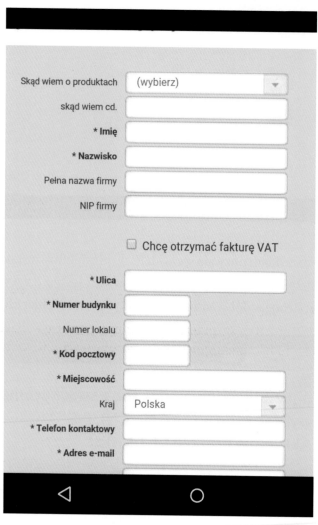

8 Po wypełnieniu formularza z danymi teleadresowymi trzeba wybrać formę dostawy i płatności spośród wariantów oferowanych w sklepie. Po dokonaniu wyboru wskaż przycisk **Kontynuuj zamówienie**.

> ## WAŻNE
>
> W większości e-sklepów płatności da się realizować na różne sposoby.
> Możliwa jest płatność tradycyjnym przelewem, realizowanym w banku
> lub na poczcie – dane do przelewu znajdują się zawsze w mailu wysłanym
> do klienta po złożeniu zamówienia. Znacznie wygodniejszym sposobem
> jest jednak płacenie za pomocą karty płatniczej (kredytowej lub debe-
> towej) albo przelewem internetowym.

9 Ostatnim etapem jest właściwa realizacja płatności. Zależnie od wybranej
formy możesz zostać przekierowany na stronę swojego banku (jeśli wybrałeś
przelew internetowy z konta banku, którego klientem jesteś) bądź na stronę
firmy realizującej transakcje kartą. Po dokonaniu płatności pozostaje już
tylko czekać na przesyłkę.

159

Bezpieczeństwo transakcji

Podczas realizowania płatności za zakupy zrobione w sklepach internetowych bardzo ważne jest bezpieczeństwo transakcji. Poniższe wskazówki pomogą ci rozpoznać, czy dana transakcja korzysta z bezpiecznego, zaszyfrowanego kanału.

1 Większość płatności w internecie jest realizowana w następujący sposób: sklep, w którym dokonujesz zakupów, w momencie podjęcia przez ciebie decyzji o zapłacie przekierowuje cię na zabezpieczoną stronę WWW twojego banku (abyś mógł wykonać internetowy przelew) lub na zabezpieczoną stronę, gdzie podajesz dane karty płatniczej (w przypadku zapłaty kartą kredytową/debetową). Zanim jednak zalogujesz się do swojego konta bankowego albo podasz choć jedną cyfrę numeru karty, sprawdź, czy strona z formularzem logowania do banku lub danych karty jest bezpieczna.

2 Gdy zobaczysz ekran logowania do banku bądź formularz służący do wpisania danych karty płatniczej, sprawdź, czy w polu adresowym przeglądarki WWW adres banku lub serwisu płatniczego jest poprzedzony symbolem zielonej kłódki i napisem **https://**. Kiedy wskażesz tę kłódkę, powinna się dodatkowo wyświetlić ramka z komunikatem informującym, że dane połączenie jest prywatne. Jeżeli nie widzisz kłódki i napisu **https://**, pod żadnym pozorem nie loguj się do banku ani nie podawaj danych swojej karty – bez względu na to, jak wiarygodnie dana strona wygląda.

https://**www.centrum24.pl**/centrum24-web/login

Twoje połączenie z tą witryną jest prywatne.

KOPIUJ ADRES URL

2. Cyfrowe książki i gazety – czytanie na tablecie

Na swoim urządzeniu możesz czytać nie tylko teksty dostępne na stronach WWW. Stosunkowo duży ekran, większy niż np. w telefonie komórkowym, czyni z tabletu sprzęt świetnie nadający się do czytania elektronicznych publikacji: cyfrowych książek (e-booków), gazet i czasopism. W tym podrozdziale poznasz przykładowe aplikacje, które umożliwiają zarówno pobieranie i zakup książek w sieci, jak i czytanie e-booków czy cyfrowych czasopism na ekranie tabletu.

Cyfrowa księgarnia

Dostęp do cyfrowych księgarni, oferujących e-booki oraz elektroniczne wydania gazet i czasopism, możesz uzyskać za pośrednictwem specjalnych aplikacji. Poniżej znajdziesz przykład takiego programu.

1 Uruchom na tablecie program **Sklep Play** i odszukaj w zasobach sklepu aplikację o nazwie **Nexto Reader**. Zainstaluj ją.

WSKAZÓWKA

Przypomnienie: szczegóły instalowania aplikacji na tablecie z systemem Android znajdziesz w rozdziale III.

---

2 Uruchom aplikację **Nexto**, wskazując jej ikonkę – umieszczoną na pulpicie systemu Android.

3 Po uruchomieniu aplikacji najpierw wyświetli się plansza z formularzem logowania do księgarni. Jeśli nie masz jeszcze konta w księgarni Nexto.pl, możesz je założyć: wskaż na ekranie napis **Rejestracja** (a). Istnieje również możliwość dokonywania zakupów bez logowania – w tym celu należy wskazać napis **Korzystaj jako gość** (b).

WSKAZÓWKA

Zaletą rejestracji konta jest to, że otrzymasz dwie książki za darmo. W przypadku korzystania z zasobów e-księgarni jako gość niczego nie dostaniesz bezpłatnie.

④ Korzystanie z e-księgarni jest dość proste. Z lewej strony ekranu aplikacji, pod napisem **Sklep**, wskazujesz dział księgarni, a główną część ekranu zajmuje oferta dostępnych tytułów z aktualnie wybranej kategorii (standardowo – z kategorii **Promocje**).

⑤ Poszczególne pozycje w księgarni są reprezentowane przez miniatury okładek książek lub czasopism. Każdej miniaturze towarzyszy cena, jaką trzeba zapłacić za dany tytuł.

⑥ Aby dodać wybraną publikację do własnej biblioteki, wskaż odpowiednią miniaturę. Na kolejnej stronie dotknij przycisku z ceną, by dodać tę pozycję do koszyka.

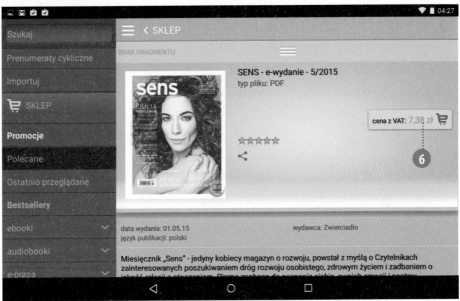

7 Program poprosi o wybór metody płatności (karta płatnicza/kredytowa, zakup za pośrednictwem operatora T-Mobile, punkty lojalnościowe).

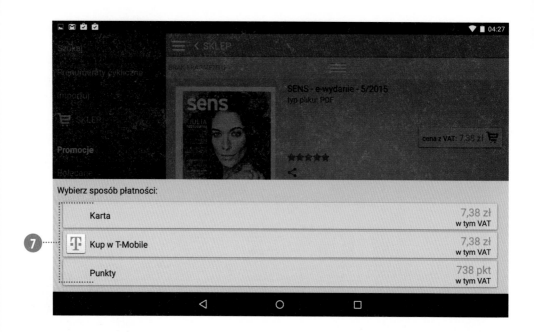

8 Na kolejnym ekranie musisz podać niezbędne dane związane z płatnością, np. numer i datę ważności karty płatniczej (w przypadku wyboru tej metody płatności). Po zapłacie będziesz już mógł pobrać dany tytuł i zapisać go w pamięci tabletu. Do lektury nie będzie ci już potrzebne połączenie z internetem.

WSKAZÓWKA

Program **Nexto Reader** nie tylko daje możliwość nabycia książek i czasopism, lecz także pozwala czytać inne treści i elektroniczne publikacje wcześniej zapisane w pamięci tabletu (np. przesłane e-mailem lub zakupione w innej e-księgarni). Aby dodać je do biblioteki aplikacji **Nexto Reader**, użyj funkcji **Importuj**, a następnie wskaż folder, w którym znajdują się cyfrowe książki.

Aplikacja Kiosk Play

Opisana wyżej aplikacja to jeden z licznych programów pozwalających na przeglądanie elektronicznych publikacji na tablecie. Każdy tablet z systemem Android jest też wyposażony w ciekawy program o nazwie **Kiosk Play**, dzięki któremu również możesz czytać elektroniczne wydania prasy popularnej. Poniższe wskazówki wyjaśniają, jak korzystać z tej aplikacji.

1 Wywołaj pulpit systemu Android, otwórz folder **Google** i wskaż znajdującą się w nim ikonkę **Kiosk Play**.

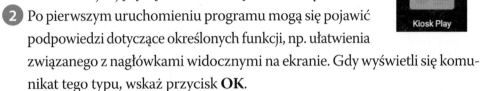

2 Po pierwszym uruchomieniu programu mogą się pojawić podpowiedzi dotyczące określonych funkcji, np. ułatwienia związanego z nagłówkami widocznymi na ekranie. Gdy wyświetli się komunikat tego typu, wskaż przycisk **OK**.

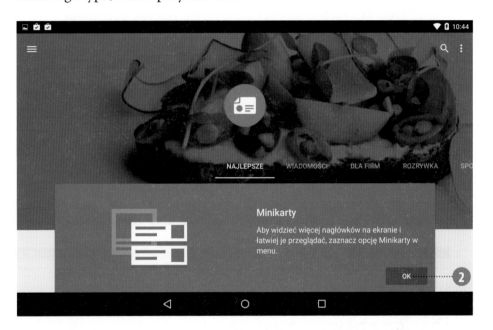

3 Po zamknięciu okna podpowiedzi zobaczysz przykładowe treści, pochodzące z różnych serwisów informacyjnych i wydawnictw prasowych. Za pomocą gestu przeciągania w kierunku lewo–prawo możesz zmienić wyświetlaną kategorię tekstów. Przykładowo: przesuwając palec od prawej krawędzi do lewej (czyli jakby przesuwając ekran aplikacji w lewą stronę), przełączysz informacje na kategorię **Wiadomości**.

165

4 Poszczególne informacje prasowe i wiadomości wyświetlają się w formie bloczków (a). Wskazanie pojedynczego bloczka skutkuje otwarciem czytnika elektronicznych publikacji wbudowanego w program **Kiosk Play**. Możesz już zapoznać się z pełną treścią wskazanego artykułu (b).

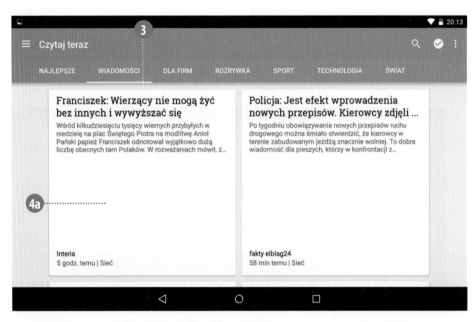

5. Przykładowe teksty z konkretnych gazet i czasopism nie tylko przekazują informacje, lecz także pełnią funkcję reklam – mają zachęcić czytelnika do zakupu płatnej subskrypcji danego tytułu. Taka subskrypcja pozwala na przeglądanie całych wydań gazety lub czasopisma na ekranie tabletu.

6. Aby wykupić dostęp do pełnego wydania pisma, z którego artykuł właśnie przeglądasz, wskaż na ekranie element umożliwiający zamówienie subskrypcji. Takim elementem może być np. przycisk **Kup dostęp** albo – jak na poniższej ilustracji – odnośnik **Kup licencję**.

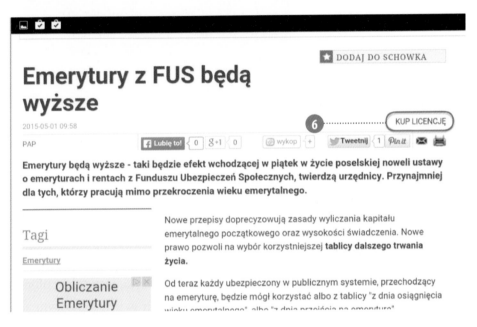

7. Innym sposobem na przeglądanie udostępnianych treści jest rozwinięcie głównego menu programu (wskaż lewy górny róg ekranu) i wybór pozycji **Odkrywaj**. Wyświetlą się miniatury reprezentujące różne kategorie tematyczne, do których należą teksty z elektronicznych wydań rozmaitych gazet i czasopism.

167

3. Rozrywka – gry i łamigłówki

Wiele firm stara się promować tablety jako przenośne narzędzia pracy, jednak w domu tablet będzie się sprawdzał przede wszystkim jako narzędzie rozrywki. Dobrą zabawę gwarantuje nie tylko możliwość robienia i odtwarzania zdjęć, kręcenia filmów czy słuchania muzyki, lecz także olbrzymia liczba aplikacji rozrywkowych i gier dostępnych w internetowym sklepie Google Play. Są to tytuły dla każdego – i dla seniora, i dla odwiedzającego go wnuczka. Propozycje przedstawione w tym podrozdziale powinny zachęcić do dalszej eksploracji zasobów oficjalnego sklepu z aplikacjami.

Krzyżówki na tablecie – coś dla szaradzistów

Pierwszym przykładem rozrywkowego programu działającego na tabletach z Androidem jest aplikacja umożliwiająca rozwiązywanie krzyżówek.

1 Uruchom aplikację **Sklep Play** i zainstaluj program **Krzyżówki po polsku**. Jest on udostępniany bezpłatnie , a korzystanie z aplikacji nie wymaga połączenia z internetem.

2 Po uruchomieniu zainstalowanej aplikacji (jej ikonę znajdziesz na pulpicie systemu Android) zobaczysz planszę z ustawieniami dotyczącymi krzyżówek. Możesz wybrać liczbę rzędów i kolumn krzyżówki, którą chcesz rozwiązywać. Oprócz tego sam ustalasz układ (pionowy lub poziomy) i poziom trudności haseł (a). Po wskazaniu przycisku **Graj** zostanie utworzona krzyżówka zgodna z wybranymi przez ciebie parametrami (b).

3) Na ekranie pojawi się plansza z krzyżówką. Aby wprowadzić hasło do konkretnego pola, najpierw wskaż to pole (a). W górnej części ekranu wyświetli się opis hasła (b), a w dolnej części – przyciski, za pomocą których wpiszesz odgadnięte hasło (c).

WSKAZÓWKA

W prezentowanym tu programie ustawienie poziomu trudności krzyżówki polega nie tylko na odpowiednim doborze haseł (łatwiejszych lub trudniejszych). Do dyspozycji są także różne sposoby wyświetlania przycisków ekranowych, za pomocą których wprowadza się hasła w konkretne pola. W najłatwiejszym wariancie wyświetlane litery tworzą anagram poszukiwanego hasła – zadaniem użytkownika jest po prostu ułożenie liter we właściwej kolejności.

Szachy na tablecie

Szachy należą do najpopularniejszych strategicznych gier planszowych na świecie. W sklepie Google Play znajdziesz ponad 100 aplikacji umożliwiających prowadzenie rozgrywek szachowych. Z poniższej instrukcji dowiesz się więcej o jednym z najlepszych programów tego typu, czyli o bezpłatnej aplikacji **Chess Free**.

1 Zainstaluj program **Chess Free** – pobierz go ze sklepu Google Play.

2 Uruchom zainstalowaną grę, wskazując jej ikonkę na pulpicie Androida.

3 Na ekranie zobaczysz powitalną planszę gry z tytułem (**Chess**) i szachownicą. Wskaż przycisk **Play!** w celu rozpoczęcia rozgrywki.

CIEKAWOSTKA

Na ekranie z planszą powitalną widoczny jest również przycisk **g+ Zaloguj się**, umożliwiający zalogowanie się do sieci społecznościowej Google+ bezpośrednio z poziomu aplikacji szachowej. Takie rozwiązanie pozwala na dzielenie się ze znajomymi z sieci społecznościowej uzyskaną punktacją i sukcesami w rozgrywkach. Więcej informacji na temat sieci społecznościowych znajdziesz w rozdziale VI.

171

4 Na kolejnej planszy możesz wybrać, czy chcesz grać z urządzeniem (przycisk **Single Player**) (a), czy też ze znajomym (przycisk **Two Player** – w tym przypadku tablet stanie się po prostu szachownicą, którą będziesz przekazywać drugiemu graczowi) (b).

5 Po wybraniu wariantu gry z tabletem (**Single Player**) na kolejnym ekranie wybierz poziom trudności: od 1 (łatwy) do 12 (bardzo trudny). Dodatkowo

dostępny jest poziom oznaczony literą „P", przeznaczony dla początkujących (a). Teraz musisz jeszcze określić kolor figur, którymi chcesz grać (b). Aby rozpocząć rozgrywkę, wskaż przycisk **Play** (c).

6 Zobaczysz już właściwą szachownicę. Aby wykonywać ruchy na planszy, wskazuj odpowiednie figury szachowe. Pozostaje tylko życzyć ci samych zwycięskich partii!

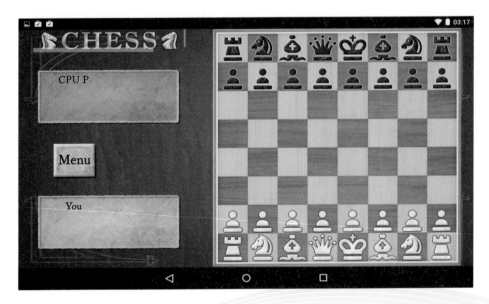

173

Z rozdziału VI dowiedziałeś się, jak korzystać z sieci społecznościowych za pomocą tabletu. Wykorzystaj znajomości zawarte za pośrednictwem tych sieci, by poznać inne ciekawe gry i aplikacje rozrywkowe dla użytkowników tabletów z systemem Android.

4. Tablet jako cyfrowa ramka na zdjęcia

Na rynku dostępnych jest wiele pomysłowych etui na tablety. Dzięki etui możesz ustawić urządzenie np. tak, by wyglądało jak ramka na zdjęcie do umieszczenia na szafce nocnej. Jednak bez specjalnego programu nawet odpowiednio ustawiony sprzęt będzie prezentował jedynie czarny ekran lub pulpit systemu Android. Poniższe wskazówki wyjaśniają, jak korzystać z aplikacji **Dayframe**, dzięki której twój tablet zamieni się w cyfrową ramkę na zdjęcia.

1. Uruchom aplikację **Sklep Play** i odnajdź w zasobach sklepu aplikację **Dayframe**. Zainstaluj ją.

2. Uruchom program, wskazując jego ikonkę – umieszczoną na pulpicie lub na ekranie aplikacji.

3. Zobaczysz powitalną planszę aplikacji **Dayframe**. Wskaż na niej przycisk **Get Started**.

Program **Dayframe** ma anglojęzyczny interfejs, ale nawet jeśli nie znasz angielskiego, bez większych kłopotów obsłużysz tę aplikację. Wszystko sprowadza się bowiem do wskazywania fotografii, które mają być wyświetlane na ekranie tabletu.

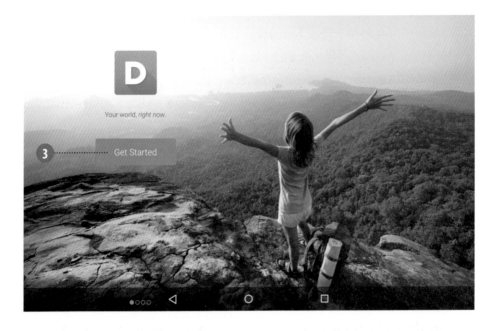

4 Program zaproponuje zalogowanie się w kilku popularnych serwisach internetowych, z których mógłby automatycznie pobierać zdjęcia do wyświetlania na ekranie tabletu. Aby ułatwić sobie zadanie, na razie pomiń ten krok – wybierz **Skip this Step**.

175

5 Następny etap to wybór tematycznych strumieni zdjęć (czyli automatycznie wybieranych grup fotografii z określonej kategorii). Dotykając konkretnego kwadratu, wybierasz kategorię (np. zdjęcia krajobrazowe, portrety, natura, itp.), z której zdjęcia mają być wyświetlane; możesz wskazać maksymalnie trzy kategorie. Gdy skończysz wybierać, wskaż napis **Add Streams**. Jeśli chcesz pominąć ten etap, wybierz opcję **Skip this Step**.

6 Zobaczysz komunikat zaczynający się od słów „All done!" („Wszystko gotowe!"). Wskaż przycisk **Open the Gallery**.

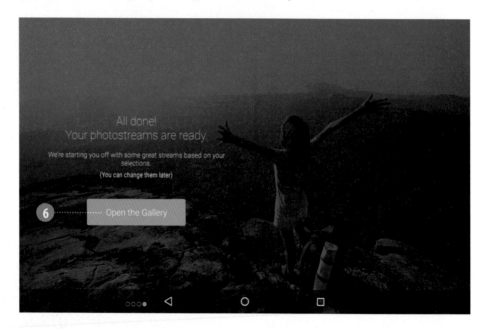

7 Wyświetli się ekran główny aplikacji **Dayframe**, a na nim – podpowiedź graficzna, informująca o tym, jak wyświetlać menu programu (chodzi o przeciąganie palcem od lewej lub prawej krawędzi). Poniżej znajdziesz napis **Got it!** – wskaż go.

8 Zdjęcia z wybranych wcześniej kategorii prezentowane są w formie miniatur. Aby wyświetlić interesującą cię fotografię na pełnym ekranie, wskaż jej miniaturę. Aby uruchomić pokaz slajdów, wybierz natomiast symbol odtwarzania – widoczny w prawym górnym rogu ekranu aplikacji.

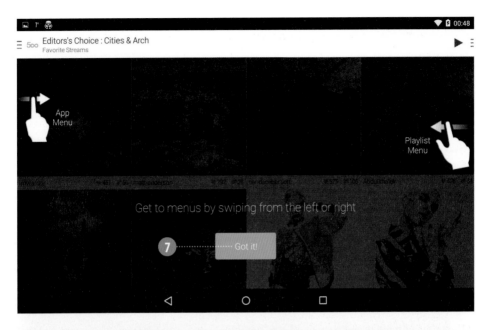

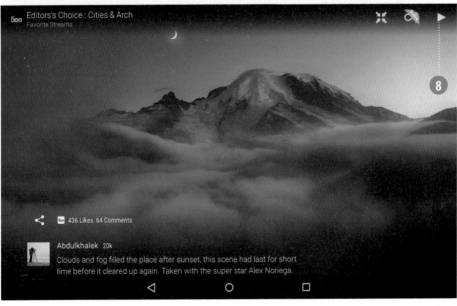

Dayframe jest tylko przykładem aplikacji umożliwiającej wyświetlanie zdjęć na ekranie tabletu. W sklepie Google Play znajdziesz wiele podobnych programów. Do wyświetlania fotografii możesz także użyć znanej ci już aplikacji **Zdjęcia**, wbudowanej w każdy tablet.

9 Jeżeli chcesz, by aplikacja **Dayframe** prezentowała na ekranie tylko zdjęcia zapisane w pamięci twojego tabletu, wskaż symbol menu (trzy poziome kreski), widoczny w lewym górnym rogu ekranu. Z rozwiniętego menu wybierz pozycję **Galeria zdjęć**.

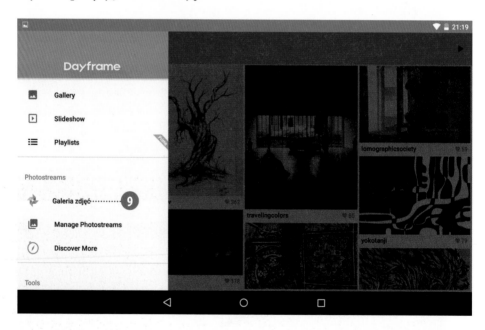

10 Wyświetli się ekran **Manage Photostreams**. Najpierw wskaż napis **Galeria zdjęć** po lewej stronie ekranu (a), a następnie po prawej stronie dotknij symbolu gwiazdki (obok napisu **Camera**) (b). W ten sposób wydajesz programowi polecenie, by wyświetlał fotografie przechowywane w pamięci tabletu.

11 Aby natychmiast uruchomić pokaz slajdów złożony ze zdjęć dostępnych w pamięci urządzenia, dotknij symbolu trzech pionowo ustawionych kropek (po prawej stronie napisu **Camera**). Z rozwiniętego menu wybierz polecenie **Play slideshow** (a). Po chwili aplikacja uruchomi pokaz zdjęć na ekranie. Ponieważ wiele cyfrowych ramek pełni również funkcję zegara, w prawym dolnym rogu wyświetli się aktualna godzina (b).

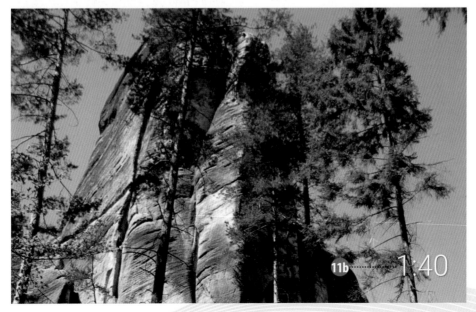

Dodatek:
Sklep Google Play

Internetowy sklep Google Play daje każdemu użytkownikowi tabletu działającego pod kontrolą systemu operacyjnego Android dostęp do ponad miliona aplikacji, książek, piosenek, czasopism i filmów. Wszystkie te treści możesz oglądać na ekranie tabletu. Aby w pełni wykorzystać zasoby sklepu, musisz zdefiniować metodę płatności. Co ważne, warunek ten dotyczy również wielu pozycji udostępnianych bezpłatnie, np. książek, filmów czy muzyki.

1 Uruchom aplikację **Sklep Play**, a następnie rozwiń menu i wybierz pozycję **Moje konto**.

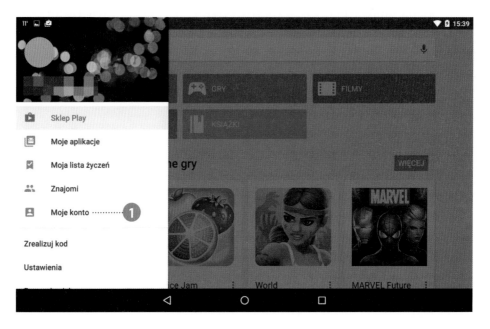

2 Na kolejnym ekranie wskaż polecenie **Dodaj płatność** i wybierz metodę płatności (karta kredytowa lub debetowa, płatność za pośrednictwem operatora sieci komórkowej, specjalny kod Google Play – dostępny na kartach upominkowych Google Play).

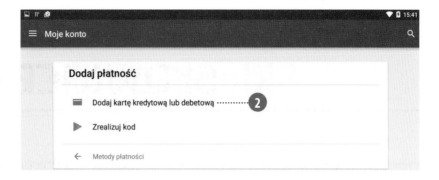

③ Jeżeli nie chcesz ujawniać danych swojej karty płatniczej/kredytowej, optymalnym sposobem jest zakup karty upominkowej Google Play. Takie karty są dostępne w wielu punktach handlowych (sklepach i salonikach prasowych) na terenie całego kraju.

④ Każda karta jest oznaczona odpowiednim nominałem i zawiera specjalny kod, niewidoczny przed zakupem. Wprowadzenie kodu jako metody płatności w sklepie Google Play zasila konto użytkownika Google kwotą odpowiadającą nominałowi jego karty.

⑤ Po zdefiniowaniu płatności zyskujesz pełny dostęp do zasobów sklepu. Możesz już instalować i pobierać wszystkie treści.

SŁOWNICZEK

Aplikacja – odrębny program komputerowy mający konkretny, spójny zestaw funkcji.

Bajt – jednostka informacji pamięci komputerowej, obecnie stosowana z przedrostkami wielokrotności (kilobajt, megabajt, gigabajt itp.).

Karta pamięci – nośnik pamięci, za pomocą którego można m.in. zwiększyć dostępną ilość pamięci w tablecie. Ma zastosowanie wyłącznie w modelach z odpowiednim gniazdem karty pamięci, a nie wszystkie urządzenia są w takie gniazdo wyposażone.

LTE – najnowszy standard bezprzewodowego przesyłu danych w sieciach komórkowych. Pod względem użytkowym charakteryzuje się najwyższą dostępną komercyjnie prędkością transmisji danych. Standard ten może być wykorzystywany do łączenia tabletu z internetem, jednak dotyczy to wyłącznie tabletów 3G/LTE. Tablety Wi-Fi są pozbawione łączności z sieciami komórkowymi i nie mogą korzystać z połączeń internetowych w standardzie LTE.

MicroSD – typ karty pamięci najczęściej stosowany we współczesnych urządzeniach przenośnych: tabletach, smartfonach itp.

MicroUSB – typ złącza komunikacyjnego przeznaczonego do przesyłania danych i energii (ładowania). Najpopularniejszy spośród rozwiązań tego typu stosowanych we współczesnych urządzeniach przenośnych, takich jak tablety czy smartfony.

SIM (*subscriber identity module*) – dosł. moduł identyfikacji abonenta; specjalna karta elektroniczna identyfikująca abonenta w sieci komórkowej. Karta SIM przechowuje pewną ilość danych (np. niewielką liczbę kontaktów, zwykle do różnych usług konkretnego operatora). W przypadku tabletów 3G/LTE można korzystać z kart SIM oferowanych przez operatorów komórkowych, ale należy pamiętać, że tablet nie pozwala na wykonywanie połączeń telefonicznych. Karta służy więc tylko do łączenia sprzętu z internetem za pośrednictwem usługi transmisji danych świadczonej przez operatora.

USB (*universal serial bus*) – standard cyfrowego połączenia między różnymi urządzeniami elektronicznymi, pozwalający na przesyłanie danych i energii o niewielkiej mocy. Standard ten może być wykorzystany do przenoszenia danych z tabletu i na tablet, jak również do ładowania akumulatorów tabletów czy innych urządzeń przenośnych. Niewielka moc przenoszona przez USB nie stanowi żadnego zagrożenia dla użytkownika, ale wystarcza do zasilania i ładowania tabletów i smartfonów.

Widżet (*widget*) – interaktywny element ekranu systemu operacyjnego (tu: Androida). Z jednej strony pełni podobną funkcję jak ikona (dotknięcie prowadzi do uruchomienia aplikacji), z drugiej – działa jako niezależna miniaplikacja, wykonująca jakieś działanie i prezentująca użytkownikowi informacje (np. zegarek czy dane pogodowe widoczne na ekranie).

Wi-Fi – potoczne określenie sieci komputerowych pozwalających na komunikację bezprzewodową. W praktyce nazywa się tak wszystkie sieci bezprzewodowe krótkiego zasięgu (maks. kilkadziesiąt metrów) umożliwiające dostęp do internetu.